CHRISTIAN BOURGOIS ÉDITEUR
8, rue Garancière - Paris VIe

LE SERPENT

PAR

MIRCEA ELIADE

Roman traduit du roumain
par Claude B. LEVENSON

Préface de Sorin Alexandresco

Série « Domaine étranger »
dirigée par Jean-Claude Zylberstein

L'HERNE

Cornea   Pan   jau 4th, 93

© Éditions de l'Herne.
ISBN-2-264-01276-5

UNE DIALECTIQUE DU FANTASTIQUE

Filtré par les lunettes, un regard qui vient de loin, sous un front concentré, puissant; les joues, le menton taillé à la serpe, coupés par une bouche mince, linéaire, crispée. Des gestes fébriles, tantôt explosifs, tantôt gauches, le plus souvent maîtrisés, un calme imposé, contrôlé, derrière lequel s'agite l'inquiétude, à moins que ne sourie la sérénité. Il parle peu, préfère écouter, et regarder. Attentif, curieux de tout, heureux non d'enseigner mais d'apprendre. Une joie du dialogue soutenu presque avec une passion d'adolescent affranchie de toute vanité. Retraite dans le silence et les bouffées de sa pipe afin que l'interlocuteur, ne sentant plus peser la présence du savant, révèle son originalité avec plus de naturel. Prévenant, simple, spontané, plein de tact et de distinction en toute circonstance, d'une douceur franciscaine. Une intense présence, parfois interrompue par un brusque repli en soi, comme un cours d'eau

qu'engloutit la terre. Modeste, incroyable-
ment modeste, mais non sans un sens très
sûr de la valeur. Une candeur qui l'amène
à se réjouir comme un enfant devant les
beautés quotidiennes du monde, ou peut-
être une profonde sagesse, libérée des
contingences ordinaires et qui contemple le
et les siècles...

En dépit des circonstances, la personnalité de Mircea Eliade me paraît typiquement
roumaine. Malgré sa prodigieuse notoriété
internationale, l'écrivain et savant continue
à penser et créer selon des structures rou-
maines, évidentes dans ses œuvres littéraires (toutes écrites dans sa langue mater-
nelle) mais aussi dans son style personnel.
C'est pourquoi ce point de vue me semble
indispensable pour aborder la prose « fantastique » de Mircea Eliade, composante
essentielle de sa littérature.

Le volume de souvenirs publié en 1966
suggère d'importantes remarques. Dès
l'enfance, apparaît une attitude qui deviendra permanente : la perception du réel sous
l'angle du fabuleux. Petit, il visite les maisons de ses grands-parents, où il découvre
« un univers inépuisable, plein de secrets,
riche en surprises » et où « commençait un
autre monde ». Dans une maison de Rîmni-
cul-Sàrat où il passa quelque temps avec sa
famille, il entre un jour dans une pièce

miraculeuse, curieusement inhabitée : « Si j'avais pu alors utiliser le vocabulaire d'un adulte, j'aurais dit que je découvrais un secret... Je pouvais à tout moment évoquer cette féerie verte et je restais alors immobile, osant à peine respirer, et je retrouvais la béatitude du début, je revivais avec la même intensité mon entrée soudaine dans le paradis de ce monde sans pareil » (plus tard, il provoquera volontairement ces remémorations, moyen de combattre ses crises de mélancolie!).

Sans tomber dans l'erreur qui consisterait à détecter un « choc » infantile ayant « déterminé » ensuite la vie d'Eliade, nous pouvons affirmer que se dessinait un certain type d'expérience spirituelle et esthétique. L'événement banal, courant pour tant d'enfants de son âge (entre trois et quatre ans), est transformé en événement existentiel : s'introduire dans une pièce généralement fermée à clé équivaut dans son esprit à entrer dans une zone sacrée, interdite au profane. Le choc confus ressenti par l'enfant deviendra un thème de méditation de l'adolescent, puis sera expliqué par le savant qui écrira (métaphoriquement parlant) que, ce jour-là, le sacré faisait irruption dans le profane. La béatitude qu'il éprouvera plus tard en revivant ce moment signifiera une annulation du temps, un retour en illo tempore.

Nous trompons-nous, appliquons-nous

*abusivement à l'auteur sa propre théorie?
Je ne crois pas. Quoi qu'il en soit, je voulais
simplement souligner, grâce à cet exemple,
que la perspective éclairante du conteur
Eliade met en évidence une solidarité orga-
nique entre l'expérience personnelle du
jeune Eliade et les études entreprises plus
tard par le philosophe. Dès son enfance,
une façon particulière de percevoir et vivre
le rend ouvert à la compréhension de toute
expérience en tant que découverte et révélation, ouvert au symbolisme secret du
monde, à la fascination du destin qui luit
à peine, imperceptible dans le quotidien. Ce
centre profond de la personnalité d'Eliade
débouchera par la suite aussi bien sur la
passion de l'érudit que sur le besoin d'ex-
pression directe du prosateur. D'ailleurs,
l'épisode mentionné ci-dessus apparaîtra
presque tel que dans l'obsession de la pièce
Sambô chez Stefan Viziru, personnage du
roman* la Nuit de la Saint-Jean.

Mircea Eliade a signalé * *l'interdépen-
dance qui, dès le début, rattache ses pages
« réalistes » et « fantastiques ». Ses premiers essais, parus dans* Ziarul stiintelor
populare **, *s'intitulaient, fait significatif
pour leur orientation,* Comment j'ai trouvé

* Fragment autobiographique.
** Journal des sciences populaires, *1920-1921.*

la picrrc philosophale *et* Souvenirs d'une retraite. *Lycéen, il écrivit, sans les publier, les* Mémoires d'un soldat de plomb *(parallèlement au* Roman d'un adolescent myope), *histoire cosmique d'un morceau de plomb depuis les origines de la terre jusqu'au jouet d'aujourd'hui.*

Il ne faudrait toutefois pas oublier que nombre de ses écrits se situent à la frontière du réel et du fantastique.

Comment expliquer cette particularité, assez rare dans la littérature roumaine? Sans doute par les mêmes raisons qui expliquent aussi l'intérêt de l'homme de science pour les phénomènes spirituels les plus divers : une certaine perception du miraculeux, *existante dès son enfance, et une* ouverture culturelle *(lectures, voyages, études, expériences) sur les systèmes de pensée situés en dehors des traditions nationales et même européennes mais que, de ce fait, il arrive à comprendre plus profondément. A cet égard, la littérature fantastique de Mircea Eliade se situe entre sa littérature réaliste et ses études de philosophie ou d'histoire des religions, dans le sens où considérer des événements comme « fantastiques » constitue un moyen terme entre les décrire d'une manière strictement positive, indifférente au mystère, et les interpréter d'une façon scientiste, en fonction de certains complexes culturels archaïques, d'une circulation des motifs mythiques et* *rituels, etc. La personnalité unitaire de Mircea Eliade s'est formée justement par l'interférence permanente de ces trois attitudes, la prééminence de l'une ou de l'autre définissant un certain secteur de son œuvre. La libre communication entre les attitudes signifie le mouvement intérieur d'un homme que n'aurait jamais pu satisfaire l'exclusivité d'une seule d'entre elles, car il avait, depuis toujours, décelé le mystère infini du réel et sa fascinante ambiguïté. Nous pouvons, du reste, citer Eliade même : « En tout état de cause, la dépendance entre écrits littéraires et théoriques est réelle. En commençant par les exemples les plus évidents, je pourrais rappeler le* Secret du docteur Honigberger, *qui dérive directement du Yoga...* *

Quelques lignes plus bas, il précise : « Si je m'en étais donné la peine, le symbolisme du Serpent *aurait peut-être été encore plus cohérent, mais alors l'intervention littéraire en aurait probablement été bridée. Je ne sais pas. Voilà ce qui me paraît intéressant : alors que j'attaquais un sujet aussi cher à l'historien des religions que j'étais, l'écrivain en moi refusa toute collaboration* consciente *avec l'érudit et l'interprète des symboles; il tint à tout prix à rester* libre *de choisir ce qui lui plaisait et de refuser les symboles et les interprétations que lui ser-*

---

* Fragment autobiographique.

vait, sur un plateau, l'érudit philosophe. [...] Je ne voudrais évidemment pas donner l'impression que j'écrivais de la littérature afin de soutenir telle ou telle thèse philosophique. Si je l'avais fait, mes romans auraient sans doute été, philosophiquement parlant, plus consistants. En réalité, comme l'expérience du Serpent le prouve pleinement, je faisais de la littérature pour le plaisir (ou le besoin) d'écrire librement, d'inventer, de rêver, de penser même, mais hors du corset de la pensée systématique. Toute une série d'étonnements, de mystères et de problèmes que refusait mon activité théorique réclamaient vraisemblablement leur assouvissement dans la liberté de l'écriture littéraire.

LE SERPENT

Ce roman (1937), pareillement à tant d'autres œuvres « fantastiques », s'engage de manière toute banale. On y entrevoit aussitôt la conception de Mircea Eliade; il n'y a pas solution de continuité entre « réel » et « fantastique ». Seule une évaluation extérieure, fondée sur des critères étrangers et donc inappropriés, classe les événements en « vraisemblables » (réels) et

« *invraisemblables* » *(fantastiques). En revanche, selon le critère interne, celui de* la probabilité épique *(et non pas logique, morale, sociale, etc.), tout l'effort de l'écrivain vise à convaincre le lecteur, de façon* insidieuse, *du caractère possible des faits, en amplifiant progressivement la concentration d'étrange dans l'atmosphère initialement banale, jusqu'à ce que* tout *devienne naturel, acceptable.*

Bien que, dans leurs grandes lignes, cette conception et cette technique soient permanentes dans la création d'Eliade, elles me paraissent particulièrement convaincantes dans le Serpent, *la seule de ses œuvres où n'intervient aucune dislocation spectaculaire du temps, de l'espace ou de la personnalité humaine.*

Ici, en effet, rien de spécial *ne se passe, l'épique reste d'une linéarité presque classique dans sa simplicité. Un parfait équilibre des moyens stylistiques interdit toute mise en évidence d'un élément d'atmosphère au détriment des autres, de sorte que seule une relecture attentive permet de découvrir,* « enterrée » *dans le texte, de nombreux éléments (possibles) de prédiction passés inaperçus dans un premier temps. On ne trouve donc pas de métaphores ou de symboles obsessifs, lourds d'implications; la suggestion est obtenue par l'ensemble plus que par le détail. Jusqu'au rythme qui est égal, paresseux, apparem-*

ment indifférent, permanent comme le charme (dans les deux sens du mot) d'Andronic, exempt de ces accélérations ou de ces espaces blancs habituellement utilisés pour marquer le suspense.

Le début, cette platitude des familles bourgeoises repues, témoigne d'un sommeil des consciences où scintille à peine quelque vague aspiration de Liza ou de Dorina, vite étouffée sous des calculs matrimoniaux et familiaux. L'apparition d'Andronic éveillera ces consciences, réactivera leurs fonctions vitales, et spirituelles dans le cas de Dorina, mais nous pouvons imaginer, après la fin, leur rechute dans l'anonymat. En fait, la « sourdine » générale du roman atténue chocs et réactions, tandis que l'effet des « miracles » d'Andronic se limite à des propensions érotiques implicites ou explicites.

Andronic survient inopinément : sans être amené par une quelconque tension interne du groupe d'estivants, il répond aux insatisfactions secrètes de chacun. Le caractère étrange de la fascination que le « sportsman » mondain exerce sur ces petites bourgeoises s'accuse lorsqu'est racontée, au monastère de Càldàrusani, l'histoire d'une noyade à laquelle il a mystérieusement échappé. Quelques lignes de ce passage suffiront pour illustrer l'aisance avec laquelle Eliade manie les connotations significatives des mots : la barque « a coulé

*comme liée par un charme et le plomb l'en-
traînait* », dit Andronic, et puis : « *Il faisait
noir tout à coup, l'obscurité descendait en
vagues de la forêt.* » Une dame lui ayant
affirmé qu'il n'était pas mort parce que
« *Dieu l'avait secouru* », « Andronic ne put
dissimuler un long et triste sourire. « *Pour
cela aussi, peut-être* », répondit-il mollement. » Le lac, la forêt, la mort, le secret
(païen) qu'il est seul à connaître, voilà les
éléments de la séduction d'Andronic, qui
opère désormais sur tout un chacun — elle
émane non seulement d'un homme en tant
que mâle, mais encore d'un être humain
différent des autres.

L'épisode du jeu de gages dans la forêt
est révélateur. Andronic, qui ne poursuit
aucun but apparent, se borne à rendre leur
liberté à ses compagnons en leur donnant
l'occasion de se manifester spontanément
au sein d'une nature complice. Stamate et
Liza, Manuilà et Dorina, Vladimir et
Mme Solomon vivent sous un charme
qu'ils créent eux-mêmes, par une coquette-
rie nocturne avec des tentations réprimées
le jour. Incapables d'analyser leur trouble,
ils le nomment Andronic et les femmes
commencent à le désirer, alors qu'elles
désirent en fait l'Amour. Cependant, le
charme est potentiellement illimité et nous
sentons déjà que le magicien rebelle aux
avances émet un fluide qui dépasse l'eros.

Ainsi, dans les caves du monastère,

Andronic conte — histoire de tous in-
connue — la mort de la vierge Arghira, sur-
venue plus d'un siècle avant. « *Je n'ai pas*
l'impression d'avoir vécu, il y a longtemps,
une autre *vie. Je sens que j'ai* toujours *vécu*
ici, depuis la fondation du monastère... »
Cette réplique rappelle quelques mots pré-
cédents de Dorina. Celle-ci vit un temps
cyclique *et, dans ses songes, s'identifie à*
Arghira; de même, sa descente, rêvée, dans
le palais de cristal d'Andronic reprend le
souvenir de la noyade réellement racontée
par ce dernier, ainsi que sa propre naviga-
tion, plus tard, jusqu'à l'île. Andronic, au
contraire, dure *dans un temps* éternel,
sans cycles ni répétitions, « *contempo-*
rain » *non seulement du monastère mais*
aussi du lac, des serpents et des oiseaux,
des arbres et des joncs, dont il affirme, non
sans ambiguïté, qu'une malédiction les
condamne « *à ne jamais mourir, à toujours*
pousser sous les eaux ». *Il y a par consé-*
quent trois plans temporels : celui des esti-
vants, esclaves de l'instant; celui de
Dorina, qui vit peut-être « *l'Éternel*
retour » *des événements; celui d'Andronic,*
peut-être *atemporel, éternel. Le premier*
sera profane, les deux autres seraient des
formes du sacré. Toutefois, si j'utilise le
conditionnel et le mot peut-être, *c'est que*
cette structuration des significations n'est
marquée nulle part de façon décisive. L'en-
voûtement au monastère et les fonctions

*des personnages, Andronic compris,
s'appuient sur de telles structures tempo-
relles mais ne s'y réduisent pas.*

*Le moment culminant, l'invocation et
l'exorcisme du serpent par Andronic, réu-
nit en un seul faisceau, d'une intensité
magique, les significations majeures du
roman : érotiques, psychologiques (et para-
psychologiques), métaphysiques. Andronic,
le magicien, s'identifie au serpent sur le
plan de la fascination érotique. « Dorina
eut l'impression que le serpent venait directement à elle, et une terreur subite remplaça le charme de naguère. Comme si elle
s'éveillait soudain devant une chose impossible à regarder, une chose terrible et péril-
leuse, qu'une jeune fille n'avait pas le droit
de voir. L'approche du serpent semblait
aspirer sa respiration, éparpiller le sang
dans ses veines, embraser sa chair toute
entière d'une terreur teintée de frissons inconnus, d'un amour malade. Il y avait un
insolite mélange de mort et de souffle érotique dans cette oscillation hideuse, dans la
froide luminosité du reptile. » Il en va de
même pour Liza et Mlle Zamfiresco. L'identification des deux séductions érotiques (le
serpent et Andronic) se produit à ce
moment-là, mais elle deviendra évidente
plus tard, dans les rêves des femmes, lorsque Liza, par exemple, vivra « avec une
volupté infinie, mêlée à la terreur de la
mort », l'enlacement de l'homme, simulta-*

nément à l'apparition « *de la tête effrayante du serpent entre les poings serrés d'Andronic* ». *Nous comprenons peu à peu que* le Serpent, *titre du roman, est plutôt un « surpersonnage » d'*homme-serpent, *engendré par l'identité magique entre le serpent et l'homme. C'est un être primordial, tellurique, fascinant, parce qu'il rend son actualité au vécu primordial de ceux qui le contemplent. Les femmes vivent moins le désir de l'étreinte d'Andronic qu'une sorte d'extase érotique impersonnelle, plutôt semblable à l'orgie collective des peuples « primitifs », où l'eros, violemment vécu par chaque participant, a une fonction surindividuelle de communication magique avec l'ensemble du cosmos. Ces significations ne sont pas explicites dans le texte, mais leur suggestion latente opère incontestablement. Au moment de l'invocation du serpent, tout comme dans l'épisode des rêves, les personnages féminins sont clairement distribués de manière circulaire autour d'Andronic. Du reste, la composition est circulaire en permanence dans le roman. Sur le chemin du monastère, les personnages sont répartis par couples; à partir de l'épisode des gages, ces couples se* désorganisent, *les femmes, mais aussi les* hommes (Vladimir *en particulier*), *commençant à graviter autour d'Andronic. Avec l'apparition du héros, un type de composition est remplacé par un autre, de*

*même qu'au plan psychologique la
conscience de chacun commence alors à
glisser sur une nouvelle orbite. Voici une
construction romanesque évidente sur tous
les plans de significations! Andronic, puis
Andronic-le-serpent, se trouve aussi bien
au centre épique qu'au centre spatial du
roman (au milieu de la pièce où apparaît le
serpent, ensuite dans l'île du « milieu » du
lac), tel le magicien qui ordonne les rites ou
trouble la perception spatio-temporelle des
profanes qui l'entourent, comme le yogi des*
Nuits *à* Serampore. *Andronic exerce son
charme maléfique et trouble les
consciences dès le début, dès sa première
apparition, mais cet ensorcellement ne se
révèle en tant que tel que par le truchement
d'un événement central : l'exorcisme du
serpent.*

*Pourrait-on parler dans cet ordre d'idées
d'un* symbolisme du centre *dans le* Serpent? *Encore une fois, ce qui est latent
dans le texte contient la réponse. Andronic-
le-Serpent est le centre métaphysique du
roman dans la mesure où il en est aussi le
centre épique, spatial ou psychologique.
Placé au « centre », Andronic-le-serpent a
la fonction d'une* hiérophanie, *par laquelle
le sacré atteint le profane et se révèle à lui.
Pour les consciences « endormies » des
estivants, le sacré, qu'elles ne soupçonnent
d'abord même pas, se révèle* par *Andronic;
son caractère hiérophanique est toutefois*

varié : s'il ne trouble que superficiellement la majorité des personnages, par des angoisses érotiques (les femmes) ou des anxiétés d'adolescent (Vladimir), il modifie totalement l'ancien moi (profane) de Dorina et provoque une « deuxième naissance » de celle-ci, comme dans les rites d'initiation « classiques ». De ce point de vue, l'envoûtement exercé par Andronic-le-serpent sur la conscience « la plus laïque », celle du capitaine Manuilà, est significatif : « Il sentit à nouveau la peur monter en lui, et ses paupières lourdes. S'il hurlait... Impossible de mouvoir ne serait-ce qu'un doigt; pas même un gémissement ne sortait. Exactement comme en cette heure d'épouvante, inoubliée, de son enfance, quand il était entré brusquement dans la chambre de sa mère, à la campagne, et qu'il l'avait trouvée muette, le regard aveugle, prostrée à terre, sans savoir ce qui s'était passé. Ce n'est que plus tard qu'on le lui avait dit; une bohémienne était venue dire la bonne aventure, et après s'être accommodée sur le sol, elle avait tiré une main de mort de sa besace et s'en était servi pour tracer un cercle tout autour. C'était tout ce dont il se souvenait... » Intéressant ici, le respect du particulier de la conscience, où intervient l'insertion du sacré. Lucide, ironique, soupçonneux et rancunier par jalousie, le capitaine résiste le plus longtemps à la séduction, mais il la

*recevra, une fois vaincu, conformément à
ses propres structures mentales : la crainte
du présent, reflet typique d'une conscience
égocentrique brusquement détachée de son
centre vital, la confiance en soi lui rappel-
lent une peur d'enfant, un traumatisme
enfoui dans son subconscient et autour
duquel il a bâti par la suite, comme un rem-
part, toute sa conscience ostensiblement
laïque. Son traumatisme, probablement
accompagné d'une perte de la connaissance
(« il ne se souvenait de rien d'autre »),
s'identifie à celui de sa mère, qui redoutait
le mauvais sort, mais aussi la « mort » (en
apparence : l'évanouissement), jeté par la
gitane.*

*Les suggestions profondes du texte
résonnent sur plusieurs plans : psychanaly-
tique (l'évanouissement — mort apparente,
l'identité entre « la mère » et « la bien-ai-
mée » — Dorina, la même peur de perdre un
investissement affectif capital); magique
(émission d'un fluide mortel, identification
de la gitane et d'Andronic, « enfant de tzi-
gane », du serpent et de « la main du
mort », tous deux magiques); spirituel
archaïque la « mort » du moi profane intervient dans un sentiment de terreur —
sacrée! — et une chute dans l'enfance, c'est-
à-dire dans l'« annulation » du temps profane, qui sépare la première révélation de la
deuxième, tandis que le côté positif, la
« naissance » du nouveau moi, n'apparaît*

pas, ce qui ne manque pas d'être significatif. Des suggestions du même ordre s'inscrivent dans le vécu des autres personnages (Stere, Vladimir, Mlle Zamfiresco, etc.), mettant en évidence le souci majeur de Mircea Eliade : quelles sont les réactions de plusieurs consciences laïques, totalement plates ou pétries d'angoisses romanesques, face à un événement étrange, escroquerie ou sorcellerie au plan du quotidien, « hiérophanie au plan du rapport sacré — profane »? L'événement central autour duquel s'ordonne, d'une manière significative, l'ensemble du roman est donc constitué par une exploration épique et artistique de la dialectique sacré — profane.

Les épisodes ultérieurs découlent nécessairement et logiquement de l'épisode central (et culminant), mais avec une force de conviction artistique qui n'est pas toujours égale à elle-même.

Les personnages s'arrachent lentement et difficilement au charme, à cet étrange monde second dans lequel ils ont vécu hors du temps. Or c'est dans cette atmosphère qu'un nouveau « mystère » commence d'être joué : le mystère d'un amour ignoré de tous, deviné seulement, grâce au même trouble pressentiment qu'auparavant, par le capitaine Manuilà. Son sens réel se fait jour dans un dialogue souterrain contenu dans celui, exprimé, de Dorina et Andronic. L'atmosphère générale de transe camoufle

*la bizarrerie des répliques, l'art de Mircea
Eliade consistant en l'occurrence dans
l'apparence de vraisemblable conférée au
dialogue Dorina-Andronic, dans la partici-
pation simultanée de ce dernier à deux
plans de signification et de vie. Je me borne-
rai à citer quelques phrases seulement du
chapitre X, et ce bien qu'en l'absence du
contexte leur fonction s'impose avec moins
de clarté : « Non, la rassura Andronic,
vous avez eu seulement l'impression. Vous
n'avez pas eu peur... Ces choses-là doivent
de toute manière arriver...*

— C'est vrai, dit Dorina, rêveuse.

*— Pourquoi doivent-elles sans faute arri-
ver? interrogea Manuilà, inquiet.*

*— Cette histoire de serpent », répondit
Andronic (...)*

*Il tourna doucement la tête et regarda
Dorina dans les yeux, d'un regard chargé
de sous-entendus. La jeune fille devint blanche.*

*« Ce n'est même pas si difficile à
comprendre, chuchota Andronic. Quand
une chose si importante se prépare... »*

*La suite du roman confirme l'impression
qu'il s'agissait, dans ces répliques, d'un
secret et mutuel serment. Quant à la fata-
lité, suggérée, de la rencontre d'Andronic et
de Dorina, elle devient une justification
possible, ésotérique en vérité, de l'enchaînement de tous les événements, y compris
l'exorcisme du serpent. Serait-il alors*

essentiel, l'élément érotique du mystère, et tout le reste deviendrait-il un simple contexte, nécessaire mais d'une signification secondaire? Non, car la communion des deux personnages n'est pas la conséquence d'un « habituel » coup de foudre, mais d'une attirance « impersonnelle », moins amour temporel que transe, charme surnaturel dont Andronic, qui en paraît l'ordonnateur, n'est en fait que l'instrument.

Le chapitre suivant, qui vise à divulguer la nature profonde d'Andronic, est quelque peu artificiel du point de vue artistique : « La nuit a pour moi d'autres charmes... Vous voyez — il embrassa d'un geste du bras le ciel, la forêt — tout cela, c'est bien plus puissant que l'amour, et bien plus grave...

Plus grave, car jamais on ne sait d'où ça vient, où est le commencement et où est la fin... Un amour, une femme, on la voit devant soi, dans son lit même, et l'amour — on le sent naître et mourir... Mais ces choses-là?... »

Andronic se promène ensuite seul dans la forêt, où il parle aux oiseaux et aux arbres grâce à une sorte de magie franciscaine, douce, rêveuse, nullement ésotérique, plus à la manière d'un grand frère faisant partie d'une même vaste famille biologique qu'à celle d'un magicien. L'amour et l'humain sont donc intégrés dans un sentiment cosmique d'une parfaite *innocence adamique, au-delà de la maison et du moi humain, au-delà même de la conscience de l'espèce humaine. « Après minuit, poursuivit Andronic, je ne sais ce qui m'arrive... Parfois, il me semble que je suis un oiseau, d'autres fois, je me crois un blaireau, ou encore un singe... Et presque toujours, j'oublie ce que j'ai fait, je ne me souviens plus où j'ai passé mes nuits... » Ce « pouvoir » d'Andronic cesse au lever du soleil pour renaître au coucher, et surtout après minuit. Dédoublement de la personnalité? Peut-être, mais alors dans le sens de la dichotomie sacré — profane, à laquelle correspond la dichotomie nocturne-diurne. Andronic participe de deux niveaux existentiels : le sacré existe en lui, c'est-à-dire dans sa constitution historique concrète, dans le profane. Si sa mémoire historique semble dépasser sa mémoire personnelle, ceci suggère une conscience transhistorique, comme si l'irruption du sacré dans le profane dilatait les dimensions fatalement limitées de ce dernier, conférant à l'individu la pérennité de l'espèce. Andronic serait alors l'Homme, mais l'Homme total, vivant comme Adam ou les patriarches, simultanément aux niveaux profane (isolement biologique dans une succession d'événements temporels concrets) et sacré (ouverture biologique sur le cosmos, dans une répétition d'événements typiques atemporels).*

La fin du roman, qui paraît insister sur l'initiation de Dorina, représente en fait, dans une perspective plus élevée, l'éveil de la jeune fille à la vie totale incarnée par Andronic : « Pas la moindre douleur, pas la moindre crainte, pas la moindre timidité — rien qu'une joie accablante et amère de tout son être profond; comme si elle s'était éveillée avec une âme autre, jamais soupçonnée, et un autre corps, plus heureux, plus divin... »

Sorin Alexandresco *

* Professeur à l'Université d'Amsterdam, auteur de nombreux ouvrages, spécialiste de la littérature fantastique.

Oh toi dragon serpent
à l'écaille d'or rutilant
aux neuf langues perçantes
aux neuf queues frappantes
va-t-en la quérir
où tu sauras la découvrir...
et point ne lui laisse répit
tant et si bien qu'elle
ma belle entre les belles
à ma rencontre s'en vienne
me parler et me dire...

Incantation d'amour

I

Liza s'apprêtait à applaudir, prévoyant la fin de la romance. Elle espérait que le geste bruyant, les mots qu'elle aurait à dire et les commentaires des autres l'aideraient à retenir ses larmes. Car le refrain l'émouvait bêtement, presque férocement, surtout les premiers vers :

« *Dans mes cheveux autrefois blonds*
Il est une mèche d'argent... »

D'où surgissaient si soudainement tant de souvenirs, tant de nostalgies? Il lui semblait avoir déjà entendu ces mots-là quelque part, il y a très longtemps, quand elle était petite, et que tante Leana lui récitait des poèmes à la mode avant guerre :

« *Il est une mèche d'argent...* »

C'était comme si elle savait d'avance, avant même de les entendre, les mots qui allaient venir. Elle attendait la fin, à laquelle la voix de baryton timide conférait une tristesse étonnée :

« ... *Point n'ai eu d'enfance!* »

Exactement comme elle l'avait pressenti, sans pouvoir maîtriser son émotion et son inquiétude. Ces paroles lui rappelèrent à l'improviste le visage souriant de Leana, le jardin aux mûriers du boulevard Pache et les tristesses d'autrefois. Elle se sentit très malheureuse, il lui sembla que sa jeunesse était un désastre et que personne ne la comprenait, que personne ne la comprendrait, jamais. Et son mariage — après une si longue attente!... — avec un fonctionnaire supérieur lui apparut si vide, si tristes tous les menus événements... Elle aurait aimé, maintenant, se trouver quelque part toute seule, à écouter la romance et à pouvoir pleurer sans retenue.

« Recopiez-moi ces paroles! entendit-elle s'élever à l'autre bout de la table la voix de Dorina. Elles sont merveilleuses!

— Les paroles sont anciennes, répondit M. Stamate non sans timidité. Seule la mélodie est nouvelle... Je l'aime parce que c'est une mélodie triste... »

Il se retourna vers Liza, sans qu'elle y prît garde. Son succès semblait plutôt le surprendre. Il n'avait accepté de chanter qu'au bout de longues insistances. Il connaissait trop peu l'hôtesse et les autres

invités. Pourtant, c'était des gens bien,
surtout les amphitryons. Pareille récep-
tion, ici, à Fierbintsi, un pauvre village à
une trentaine de kilomètres de la capitale...

« Un peu de vin coupé d'eau minérale,
si cela ne vous fait rien », demanda Stere
en tendant un verre vide par-dessus la
table.

Liza lui jeta un regard méprisant.
« Oser un tel geste après une romance...
Et ça, c'est mon mari! »

— De qui sont les paroles? interrogea
Dorina. C'est la première fois que je les
entends... »

Elle parlait fort, du bout de la table,
pour être entendue par le capitaine
Manuilà. Elle avait très bien saisi le pourquoi de cette fête avec tous ces invités,
arrangée ici à la campagne dans la maison
de son beau-frère. Ils veulent me marier.
Elle avait envie de sourire. A chaque fois
qu'elle regardait le capitaine Manuilà,
qu'elle le voyait manger correctement,
toujours en train de se contrôler, de faire
attention de ne pas mettre les coudes sur
la table, elle avait l'impression de s'ap-
prêter à faire une farce : elle allait feindre
d'être une jeune fille à marier, et le capitaine Manuilà allait jouer le rôle du
fiancé... Mais comment, là, tout de suite?
Avec un inconnu?

« ... Je ne crois pas qu'elles soient de

Bacovia* ajouta-t-elle, toujours aussi
fort. D'Arghezi* non plus...

— Ces noms vont quelque peu
désarçonner monsieur le capitaine, songea Dorina.

— ... Je ne pourrais vous dire de qui
elles sont, s'excusa Stamate. Je sais seulement qu'elles sont très anciennes. »

La capitaine Manuilà continuait
d'écouter l'hôtesse sans lever les yeux.

« Dans ces conditions, je ne pourrais
pas moi non plus louer l'appartement,
monsieur le capitaine, disait Mme Solomon. Vous savez, les gens racontent des
tas de choses sur les propriétaires... »

Mme Solomon tira une longue bouffée
de sa cigarette, attentivement, en baissant
les cils. Il était exaspérant, ce garçon,
avec son silence. Il n'avait pas le moindre
sujet de conversation. Serait-il tombé
amoureux si vite?

Le capitaine ne se risquait même pas à
tourner les yeux vers le bout de la table,
d'où Dorina ne cessait de lancer une
rafale de questions. Avant d'arriver à
Fierbintsi, alors qu'il était seul avec
Stere dans la voiture, on lui avait fait
comprendre que la décision devait être
rapide. Les parents de la jeune fille ne
pouvaient attendre trop longtemps.
Dorina avait passé sa licence en automne.

---

* Poètes roumains modernes (n. du t.).

Non qu'elle eût besoin d'enseigner — simplement parce qu'elle l'avait voulu, elle aimait l'étude. Et il y avait plusieurs partis sur les rangs. Les parents aimeraient bien arranger les choses. Dorina disait que son rêve, c'était de passer sa lune de miel comme des vacances, à l'étranger...

« Qui prendrait encore un café? » interrogea M. Solomon en levant la main.

Mme Solomon tressaillit, heureuse d'avoir un prétexte d'abandonner son taciturne compagnon de table.

« Excusez-moi un instant, s'il vous plaît! Je vais m'occuper des cafés! »

Le capitaine Manuilà rougit, inclinant exagérément la tête, comme pour dire : « Mais bien sûr, madame! Faites... Vous êtes... » Il rencontra le regard de Dorina, qui semblait le considérer rêveusement, et il sourit. Il commençait à prendre courage.

« Je vois que vous aimez la poésie, mademoiselle », dit-il inopinément.

Soudain, ce fut le silence. Dorina s'empourpra brusquement et entreprit de compter les perles de son collier. Entendant la discussion se nouer sur la poésie, il se pencha attentivement au-dessus de la table, l'oreille tendue.

« Je n'aime que certains poètes, dit Dorina. Et plutôt des modernes...

— Je l'ai remarqué, sourit le capitaine Manuilà. Les vers de tout à l'heure, vous

ne les avez pas reconnus, et pourtant ils
ne sont pas si vieux. Ils sont de Radu
Rosetti *... »

Liza lança un regard étonné au capitaine. Ainsi donc, il n'était pas si bête...
De surcroît, il a raison : ce sont bien des
vers de Radu Rosetti. Leana avait ses
livres de poèmes, ces volumes dont elle se
souvient si bien aujourd'hui encore, tant
d'années après la mort de Leana. Elle les
gardait sur une petite étagère au salon,
dans la vieille maison du boulevard
Pache; ils y sont restés jusqu'à la mort de
Leana, emportée elle aussi par la tubercu-
lose, comme ses autres tantes. Liza était
alors dans les premières classes du lycée.
Elle se remémorait l'avidité avec laquelle
elle contemplait à l'époque la petite étagère chargée de livres. Il avait aussi
« Ion » **, paru récemment, et à la mort
de Leana, elle s'était même réjouie secrè-
tement de pouvoir prendre les deux volumes et de les garder pour toujours; personne n'allait plus songer à les lui
réclamer.

Et d'un seul coup, la voix impérieuse de
sa mère : « Ne touche à rien, c'est plein de
microbes! » Ensuite, les livres avaient été
brûlés, c'était ce qu'on lui avait dit, en

* Poète mineur roumain.
** Célèbre roman de l'écrivain roumain Liviu
Rebreanu.

même temps que le panier à linge où se trouvait la collection de l'*Univers littéraire...*

« Quel poète, ce Radu Rosetti! s'exclama Stere. Je l'ai connu pendant la guerre... »

Liza baissa la tête. « Il n'a que neuf ans de plus que moi, et il paraît si vieux, si étranger... »

Et il se vieillissait lui-même, sans que personne ne le lui demande, comme s'il voulait simplement lui en remontrer, lui rappeler avec brusquerie que lui, il avait connu une autre vie, qu'il était d'une autre génération...

Voyant la discussion entamée, M. Solomon se leva et quitta la pièce. Il pénétra dans la petite salle et après avoir fermé la porte, jeta un regard attentif aux bouteilles de vin et d'eau minérale dans les seaux à glaces. Il ouvrit ensuite la porte de la chambre à coucher. Mme Solomon était devant le miroir, en train de se regarder fumer. De la main gauche, elle s'arrangeait les cheveux.

« Nous avons terminé le vin », dit M. Solomon.

Mme Solomon haussa les épaules. Elle s'éloigna de la glace d'un pas moelleux et s'assit sur le bord du lit.

« Heureusement que le repas est achevé, dit-elle d'un ton morne.

— Mais tout a été excellent, ajouta

Mme Solomon. Et il y a eu plus qu'assez.
Tu disais que nous n'aurions pas assez de
poulet... Tu as vu tout ce qui est resté...
A propos, tu as dit à la servante de bien
les couvrir? Avec ces chaleurs... Nous en
aurons besoin ce soir. »

Il alluma lui aussi une cigarette et
s'assit sur le lit, près de sa femme.

« Je ne sais ce qui a été décidé, nous
aussi nous allons au monastère?

— Comme tu veux, répondit Mme Solomon. Mais sache que moi, je n'y dors
pas, avec toutes ces punaises et ces moustiques...

— Il n'y a que des moustiques, sourit
M. Solomon.

— Comme si toi, tu sentais jamais quelque chose! »

Ils se turent tous deux quelques instants, en continuant de fumer les yeux au
plafond.

« Toi, qu'est-ce que tu penses de ce
capitaine? demanda M. Solomon.

— Je me demandais justement où vous
aviez bien pu le dénicher...

— Sache qu'il n'est pas bête, l'interrompit M. Solomon. Quand tu es partie,
ils ont commencé une discussion très
sérieuse... J'ai cependant l'impression
qu'il était un peu intimidé. Ou peut-être
Stere y est-il allé un peu fort...

— Et l'autre, c'est qui? interrogea
Mme Solomon en se levant.

— Stamate, un ami du capitaine, il me semble qu'il est ingénieur agronome... »

M. Solomon prêta l'oreille un instant, renfrogné, essayant de deviner ce qui se passait de l'autre côté, puis il demanda d'une voix changée :

« Tu crois que les cafés sont prêts? »

On entendait monter des rires et des voix de la salle à manger. Quelques pas lourds résonnèrent, puis la porte s'ouvrit et ce fut au tour de la vieille dame Solomon de faire son apparition. Elle entra très précautionneusement, comme si elle craignait de faire du bruit.

« C'est ici que vous étiez? » interrogea-t-elle sans s'étonner.

Elle s'approcha lentement du lit, toujours du même pas précautionneux, et s'assit pesamment, en poussant un soupir.

« Quelle est votre impression? demanda-t-elle en levant les yeux.

— Si seulement il se décidait... dit M. Solomon.

— C'est bien ce que je disais... »

M. Solomon se tourna vers sa femme.

« Aglaé, et si tu allais faire un tour dans la salle à manger? Regarde, ils ont peut-être envie de passer au jardin... Il ne fait même plus très chaud maintenant... »

Mme Solomon s'arrêta un instant devant la glace, comme pour remettre sa coiffure en ordre.

« Et toi, qu'est-ce que tu en dis? »
l'interrogea la vieille femme.

Mme Solomon haussa les épaules et
sortit.

« Eh bien, si je le savais... »

Quand la porte fut refermée, la vieille
dame se retourna vers M. Solomon.

« Elle ne l'aime pas tellement...

— Elle est comme ça, tu ne la connais
pas? Quand on est tout seul par ici, elle
désire des invités, et quand les invités
sont là, elle tombe de fatigue... Mais moi,
il me plaît, le capitaine. Il est même cultivé...

— L'autre aussi, il est gentil », dit
Mme Solomon.

On entendit des bruits de l'autre côté,
des chaises qu'on éloignait de la table, des
rires, des remerciements. M. Solomon
s'empressa de quitter la chambre.

« Maman, dit-il sur le seuil, occupe-toi
de ce soir. Tu sais, au monastère, il faut
être bien préparé pour y aller... »

II

Il faisait encore assez chaud au jardin et Stere ôta sa veste pour l'accrocher à une branche de cerisier. Il demeura en bras de chemise. On voyait sa nuque ronde, nette, blanche. Riri passa juste à cet instant près de lui avec un plateau chargé de verres embués. Stere l'arrêta.

« Pour moi, sans confiture, merci », dit-il en prenant deux verres à la fois, un dans chaque main *.

Adossée au cerisier, Liza le vit avaler l'eau d'un seul trait, la tête en arrière, comme s'il voulait la recevoir juste dans le gosier. Liza le regarda presque sans surprise. En cette seconde, elle eut de nouveau le sentiment d'avoir raté sa vie, d'avoir été abusée — à son insu, avant même de s'en apercevoir. Elle aurait

* Il est coutumier en Roumanie de servir le café accompagné d'un verre d'eau et d'une cuillerée de confiture (n.d.t.).

voulu une chose, une seule : parler à quelqu'un, avoir un ami, un inconnu à qui elle pourrait dire toute sa vie une année après l'autre.

Elle tourna la tête. Tout près, sur l'herbe, il y avait Vladimir, le frère de Riri, et les deux invités. Il lui sembla qu'il y avait quelque chose de changé dans les gestes de Vladimir. Il parlait différemment, comme plus solennellement, d'un ton plus responsable. Elle le scruta quelques instants sans comprendre. Puis elle aperçut la cigarette que le garçon tenait attentivement à la main. La fumée montait, bleuâtre, dans l'air chaud du jardin pour se perdre rapidement en une timide traînée dans la lumière.

« Qu'est-ce qu'il t'arrive, tu as mal à la tête? »

Stere s'était rapproché d'elle, affable, et l'avait prise par le bras.

« Je n'ai rien, sourit Liza.

— Comme si je ne le savais pas! s'exclama Stere assez fort. Tu as entendu cette romance tout à l'heure. Tu es toujours la même : une sentimentale! »

Stamate leva brusquement les yeux et rougit. Stere le gratifia d'un regard amical, reconnaissant.

« Vous ne voudriez pas nous chanter quelque chose de plus gai, monsieur l'ingénieur? » interrogea-t-il en se dirigeant vers le groupe et en tirant Liza par le bras.

Stamate voulut se lever, mais Stere lui posa la main sur l'épaule.

« Ne vous dérangez donc pas, nous sommes entre amis, n'est-ce pas...

— Je songeais que peut-être madame, bredouilla Stamate.

— Elle est restée ce qu'elle a toujours été : une sentimentale et une romantique, sourit Stere. C'est pour ça que je vous priais de nous chanter peut-être autre chose, d'un peu plus gai... »

Stamate tenta une nouvelle fois de se lever. Il se sentait mal à l'aise, ainsi assis sur l'herbe, les genoux serrés, rapprochés des côtes, à regarder vers le haut tout en essayant de sourire et de dissimuler son embarras et son manque d'entrain par une mimique exagérée.

« Bon, ça va, ne vous dérangez pas, reprit Stere en lui posant une fois encore la main sur l'épaule. Ou peut-être vaut-il mieux être debout pour chanter...

— Je ne crois pas que l'on puisse chanter dans un jardin, dit Liza. Ce n'est pas tout à fait l'endroit... »

D'un geste irrité, Vladimir jeta sa cigarette par-dessus la balustrade. Il avait été interrompu précisément au moment où il prenait le plus chaleureusement part à la discussion, quand sa timidité du temps du repas avait disparu.

« Comment chanter par une telle chaleur? s'exclama-t-il ironiquement. Vous feriez mieux de vous asseoir vous aussi sur l'herbe, qu'on bavarde jusqu'au crépuscule... Monsieur le capitaine sait une foule de choses intéressantes. Il disait justement qu'il venait de lire un livre...

— Oh, vous savez!... s'excusa le capitaine.

— Je vois, vous êtes vraiment savant, c'est pas de la blague! le moqua admirativement Stere.

— Tu sais, Liza, au sujet de l'existence de Jésus! » s'exclama Vladimir.

Liza feignit d'être étonnée et intéressée par le sujet.

« Comme si quelqu'un pouvait savoir quelque chose de certain à propos de Jésus! déclara placidement Stere.

— Ce sont des documents, osa le capitaine Manuilà.

— Comme si ces documents, ce n'était pas des curés qui les avaient faits? poursuivit Stere, narquois. Je répète ce que je vous ai déjà dit maintes fois : la religion, c'est bon pour les paysans, pour les gens de basse extraction, qui autrement ne seraient que des anarchistes... Ou alors, on peut dire encore autre chose : Jésus a été un idéal de moralité, d'abnégation, et tout le reste. En tant qu'idéal, rien à redire; au contraire, nous devrions même le prendre pour modèle...

« — De quoi parlez-vous avec autant d'ardeur? » interrogea soudain Dorina en s'approchant du groupe.

Le capitaine se mit poliment debout, suivi par Stamate. Stere n'eut pas le temps d'intervenir.

« Nous parlions de l'existence de Jésus, dit Liza. Monsieur le capitaine vient de lire un livre et allait justement dire...

— Ce n'est pas *le Fils de l'homme*, d'Émile Ludwig? questionna Dorina.

— C'est qui encore, ce Ludwig? interrogea Stere. Ce n'est pas le même qui a fait la vie de Napoléon? Liza, nous aussi nous avons ce livre... »

Le capitaine Manuilà se tourna courtoisement vers Dorina et lui répondit, sans que les autres puissent entendre :

« Non, mademoiselle, il s'agit d'un livre moins célèbre. En fait, il n'est pas tellement nouveau : il a été publié il y a une dizaine d'années. C'est *le Mystère de Jésus* * de P. I. Couchoud...

— Vous me le prêteriez? demanda Vladimir.

— Avec plaisir, monsieur Sàveanu », répondit correctement le capitaine.

Liza se mit à le regarder avec une sympathie accrue. Il ne semblait vraiment pas bête. De plus, il avait fourni à Vladimir l'occasion de se réhabiliter. Ce qu'il avait

* En français dans le texte (n.d.t.).

dit à propos de l'existence de Jésus paraissait assez intéressant. Peut-être aurait-il
pu s'exprimer un peu plus soigneuse-
ment; il aurait pu parler aussi de la mysti-
que chrétienne, des cathédrales...

Vladimir voulut s'éloigner en compagnie du capitaine, de Stamate et de Dorina
pour former un petit groupe à part et
continuer de discuter à l'aise, mais Riri le
saisit par le bras et l'entraîna de côté.

« Rentre à la maison, lui murmura-
t-elle, Aglaé t'appelle. »

Vladimir se mit à courir en direction de
l'entrée principale, d'un pas sportif qui lui
donnait toujours une impression revigo-
rante, lui rappelant une nouvelle fois qu'il
n'avait que dix-neuf ans, qu'il étudiait les
lettres et qu'il avait encore toute la vie
devant lui.

Il trouva Mme Solomon dans la salle à
manger, en train de fouiller dans les
tiroirs à la recherche de serviettes de table
propres.

« Tu m'as appelé? interrogea-t-il en respirant profondément.

— Je voulais te demander si nous pouvions emporter le gramophone au monastère », expliqua Mme Solomon.

Vladimir se tut quelques instants,
comme s'il essayait de réfléchir. Il avait
du mal à répondre; la question était si
saugrenue, si éloignée des pensées éveil-
lées par la discussion de tout à l'heure...

« Je ne sais si nous avons encore le temps de danser, répondit-il distraitement. On arrivera là-bas vers le soir, il faudra leur montrer le lac, la forêt et le reste... Après, on s'installera à table...

— Alors, tu l'as pris pour rien, dit Mme Solomon agacée.

— Je pensais qu'on danserait ici... s'excusa Vladimir.

— Je vois qu'ils se sont mis à discuter, répliqua Mme Solomon en faisant un geste de la tête en direction du jardin. Ils ne voudront même plus rentrer...

— C'est bien plus agréable dehors, assura Vladimir, s'efforçant de l'apaiser. Et puis je crois que c'est aussi mieux pour vous, vous n'aurez pas à supporter du monde trop longtemps... »

Vladimir se mit à rire, comme pour souligner la plaisanterie. Pourtant, il se sentait lui aussi un peu coupable. Il y a une semaine, quand Mme Solomon lui avait téléphoné à Bucarest pour l'inviter avec Riri à Fierbintsi, c'était lui qui avait proposé d'apporter le gramophone pour mettre un peu d'ambiance parmi les invités. Il savait de quoi il en retournait, et connaissant bien Dorina, il redoutait un repas glacial et un après-midi ennuyeux. Avec un gramophone, les jeunes pouvaient commencer à danser tout de suite après déjeuner, et la glace était rompue. Il savait surtout combien Mme Solomon aimait danser, elle qui demeurait une bonne partie de l'année loin de Bucarest, seule avec son mari dans ces confins campagnards.

« Il te paraît comment, ce capitaine? interrogea-t-il au bout d'un moment devant le silence d'Aglaé. Tu sais, il a fini par se dégourdir maintenant...

— Faites comme vous voulez, je ne me mêle pas de ça », répondit sèchement Mme Solomon.

Pourquoi bon Dieu était-elle si renfrognée aujourd'hui? se demanda Vladimir étonné. Peut-être personne ne lui avait fait la cour. Il se rappela qu'Aglaé ne s'amusait que si quelqu'un s'occupait d'elle avec insistance, à la fois galant et courtois — quelqu'un d'autre que M. Solomon. Malheureusement, aujourd'hui il n'y avait aucun chevalier servant. Le capitaine était censé s'occuper de Dorina. Et son ami l'ingénieur paraissait fort timide. S'ils avaient dansé...

« Peut-être pourrions-nous arranger quelque chose par ici, essaya une nouvelle fois Vladimir. Il n'est même pas cinq heures. On ne partira que vers sept heures et demie... Si nous dansions, peut-être auraient-ils l'occasion de mieux se connaître...

— Jusqu'à présent, ils n'ont guère eu le temps de se parler, dit Mme Solomon. Vous êtes tous après eux... »

Ils se turent tous les deux. Vladimir cherchait une raison valable pour retourner dehors.

« Son ami, c'est qui? interrogea à nouveau Mme Solomon.

— Je n'ai fait sa connaissance qu'aujourd'hui. Il dit qu'il est ingénieur agronome. Stere s'est mis dans la tête de le faire chanter dans la cour...

— Il est toujours comme ça », dit Mme Solomon.

Vladimir sentit qu'il devait changer de discussion. Aglaé pouvait à chaque instant s'égarer dans des considérations familiales et il aurait été contraint de l'écouter sans oser défendre qui que ce soit.

« Et si nous leur proposions de visiter le village? » demanda-t-il à brûle-pourpoint.

Aglaé lui lança un regard surpris et moqueur.

Elle était sur le point de lui dire : « Tu parles comme Jorj! », quand la porte s'ouvrit sur M. Solomon, qui entra.

« Liza demande où tu es, dit-il en s'éventant de son mouchoir. Ensuite, il se tourna vers Vladimir : Dommage que tu n'aies pas été là!... Il explique drôlement bien!... Vous savez, c'est un garçon cultivé et qui a de l'avenir... Il s'approcha de sa femme : Nous aussi nous allons au monastère, je leur ai promis... J'ai oublié de te dire, ajouta-t-il au bout d'un

instant, que les Zamfiresco y seront aussi.
Ils sont arrivés dès le matin, directement
de Bucarest. Mais ils se sont arrêtés en
forêt... »

La curiosité de Mme Solomon se ralluma soudain.

« D'où le sais-tu?

— Par l'homme du tribunal. Ils l'ont
envoyé au village chercher de l'eau de
Seltz... »

Vladimir profita de la discussion qui
s'engageait pour regagner la cour. Ils
étaient tous sous le cerisier. Le capitaine
Manuilà paraissait à présent beaucoup
plus détendu, plus intime. Il s'entretenait
avec Liza et Dorina. Riri et Stere étaient
près de Stamate.

« Dites-moi, à moi aussi, de quoi vous
avez discuté », commença Vladimir, en
tâchant de dissimuler son dépit.

En s'approchant du groupe, il avait
saisi qu'ils l'avaient oublié, que tout le
monde avait parlé sans tenir compte de
ses idées à lui, des observations intelligentes qu'il avait faites quand il était encore
sur l'herbe, lui tout seul avec les deux invités. Il se sentait blessé dans son orgueil;
au fond, c'était lui qui avait amené la
conversation sur ces choses sérieuses, lui
qui s'était sacrifié en bavardant avec deux
inconnus, lui qui avait eu l'audace de
détourner la conversation des sujets vulgaires pour la porter sur les problèmes et

les livres. S'il n'avait pas été là, le capitaine n'aurait pas eu le courage de parler de choses aussi sérieuses...

« Nous avons parlé d'un tas d'hérésies, jeune homme », s'efforça de lui répondre le capitaine Manuilà.

Vladimir lui fut reconnaissant et lui sourit, tout en se rapprochant.

Dorina cependant l'interrompit :

« Je voudrais que vous me répondiez en me disant à quoi vous pensez d'habitude quand vous regardez dans le vide, dit-elle en reprenant la conversation précédente.

— Moi, je ne sais jamais à quoi je pense quand je regarde dans le vague », dit Liza.

Elle aussi était plus animée maintenant. La discussion l'intéressait.

« D'habitude, tu es tellement fatiguée que tu ne te souviens de rien, intervint Vladimir.

— Et vous, ça vous arrive de sentir que vous avez déjà vécu la même chose? demanda Dorina avec vivacité. Par exemple, que tout ce qui arrive ici, dans ce jardin, s'est déjà passé une fois, de la même manière, avec les mêmes personnes, et que vous avez prononcé les mêmes paroles... »

Cette question semblait l'intéresser énormément, car elle ne laissa guère le temps au capitaine de répondre, et ajouta un tas de détails et d'explications.

« Vous savez, des fois, quand il m'arrive de croire que j'ai déjà vécu exactement la même chose, je suis terrifiée... »

Il lui sembla tout à coup que c'était précisément ce qui allait se passer maintenant. Mais non, ce n'était pas possible. « Le capitaine Manuilà, je ne l'ai jamais rencontré » se dit-elle en se tranquillisant. Pourtant, elle avait ressenti un léger vertige.

« Si je regrette de ne pas m'être inscrit aussi en philo, dit Vladimir, c'est précisément à cause de ces problèmes de l'âme. Chez nous, en histoire, on ne résout rien... »

M. Solomon était sorti sur la véranda.

« Qui veut du thé, qui veut du café et qui veut des disques? » s'exclama-t-il jovialement.

Stamate se mit à rire. Cette interruption lui parut singulièrement réussie. Stere était justement en train de lui parler du typhus exanthémateux de Iassy, pendant la guerre, et il ne pouvait suivre la discussion du groupe d'à côté. Il entendait par bribes, très clairement, tout ce que disait Liza. Avec quelle joie lui aurait-il répondu! Il y avait tellement de choses à raconter, à commenter. Et même Riri, elle paraissait une fille très comme il faut...

« Décidez-vous vite! s'éleva une fois encore la voix de M. Solomon.

— On pourrait peut-être danser un peu », murmura Riri.

Ils se dirigèrent tous vers la véranda. Stamate resta légèrement en arrière.

« Tu as l'esprit très analytique », entendit-il la voix de Liza.

III

Le crépuscule tombait quand les voitu-
res quittèrent Fierbintsi. La chaleur s'était
complètement estompée. Le ciel commençait à prendre de la hauteur.

« La soirée sera splendide! déclara
Dorina en tournant la tête vers le capitaine Manuilà.

— Dommage que la route ne soit pas
asphaltée... » regretta Vladimir.

Leur voiture avançait, il est vrai, péniblement. Il n'avait pas plu depuis longtemps et par endroits, la poussière attei-
gnait plusieurs pouces d'épaisseur.

« Le chemin sera meilleur quand on
aura tourné vers la forêt », dit le chauffeur.

Liza posa la tête sur le coussin de la
voiture et respira goulûment l'air de la
campagne. Heureusement que Stere était
resté en arrière, dans l'autre voiture qui
arriverait seulement dans une demi-
heure...

« C'est quelle étoile, là-bas? demanda Dorina en pointant brusquement le bras.

— L'étoile du berger! s'exclama Vladimir. Décidément tu n'as pas la moindre notion d'astronomie! »

Le capitaine Manuilà sourit et dit galamment, sans tourner les yeux :

« Peut-être mademoiselle n'a-t-elle jamais été amoureuse... L'étoile du berger, on apprend à la connaître même sans astronomie...

— C'est vrai, souligna Liza. Eminesco * lui-même a écrit... »

Dorina essayait justement de se remémorer des vers de « Hypérion **, mais c'est à peine si elle parvint à reconstituer mentalement quelques fragments.

« Ce doit être bien agréable de vivre en dehors de la ville, dans une petite maison à la campagne! » reprit Liza.

En cet instant, il lui semblait réellement que le bonheur, ce serait d'avoir une villa dans la forêt, pas très loin de Bucarest, au bord d'un lac. Quelques mois plus tôt, elle avait vu un film américain plein de villas de ce genre à l'orée de la ville; des maisonnettes blanches, avec de vastes terrasses, cachées dans la forêt. A Snagov aussi, il y avait des villas luxueuses tout au bord du lac, avec une barque à moteur atten-

---

* Le plus important des poètes romantiques roumains.
** Célèbre poème d'Eminesco.

dant au débarcadère devant la terrasse, en se balançant doucement. Comme à l'étranger...

« Échapper aux gens, au bruit, aux coups de fil », ajouta-t-elle rêveuse, en continuant de regarder le ciel.

La lumière et la quiétude crépusculaires étaient si apaisantes que Liza aurait aimé être véritablement fourbue, exténuée par la vie de la capitale, pour pouvoir pleinement goûter ces splendeurs nouvelles. Elle s'imagina un instant en femme du monde, fatiguée de folles fêtes nocturnes, épuisée par les bals diplomatiques et les thés, revenue de toutes les aventures — une héroïne de film à qui la vie n'avait rien refusé jusqu'ici, et qui néanmoins, au fond de son cœur, continuait d'être insatisfaite. Elle aurait voulu autre chose, toujours autre chose...

Elle tourna la tête vers le capitaine Manuilà et lui jeta un regard infiniment supérieur, fait à la fois d'ironie et de douceur. S'ils savaient...

« Aujourd'hui, la lune sera magnifique, dit Dorina. Nous devrions nous dépêcher pour avoir encore le temps de nous promener... »

Ils suivaient à présent une route secondaire. Au loin, on entrevoyait la forêt du monastère, pareille à une crinière dissimulée à l'horizon.

« Que peuvent bien faire les autres?

s'interrogea Dorina en tournant la tête. Leur voiture est-elle déjà partie? »

Les autres, c'était les époux Solomon, Stere, Stamate et Riri. Ils venaient avec la voiture d'un ami, un silviculteur. Ils étaient partis assez tard, mais le véhicule était solide et ils se rapprochaient. A l'autre bout de l'horizon, un nuage de fumée avait fait son apparition.

« C'est eux! déclara Vladimir après avoir observé avec grande attention.

— Votre ami, monsieur l'ingénieur, est très timide, dit Liza.

— Jusqu'à ce qu'il s'y fasse, expliqua le capitaine.

— A vrai dire, aucun d'entre nous n'est très expansif. Vous, la génération plus jeune — poursuivit-il en s'adressant à Dorina — vous avez une manière de spontanéité sportive, vous vous liez rapidement d'amitié. Vous avez raison, d'ailleurs... Moi par exemple, il m'est assez difficile, comment dire, de devenir copain avec des gens dont je viens à peine de faire connaissance, même si dans notre métier... »

Dans l'autre voiture, près du chauffeur, Riri essayait de scruter le lointain, la main en visière, pour voir s'ils se rapprochaient des autres partis plus tôt.

« Je te parle comme à un frère, écoute-moi, disait Stere. A ton âge, le tout c'est de ne pas louper le train...

— Mais je ne suis pas tellement vieux, rétorqua Stamate en riant, étonné. Je viens à peine d'avoir trente-trois ans...

— C'est bien ce que je te dis, reprit Stere. C'est maintenant que commence l'âge dangereux. Si tu ne te décides d'ici une année ou deux, tu ne te décideras que beaucoup plus tard, et alors à chaque coup, tu te brûleras les doigts, tu peux m'en croire... »

Stamate rougit en fixant la nuque de Riri. Il n'osait pas tourner la tête, rencontrer le regard des époux Solomon. Quelle gaffe avait-il commise en acceptant de parler mariage... Il aurait dû jouer les naïfs, comme s'il ignorait tout des plans de la famille Solomon au sujet du capitaine.

Pourtant, au début, cela lui avait été agréable de parler mariage, surtout parce qu'il croyait rendre service à son ami parti devant avec Dorina. Peut-être avaient-ils fait exprès de le laisser derrière, pour discuter encore avec la famille... Mais la conversation, qui avait commencé de manière très agréable et impersonnelle, avait rapidement dévié sur lui. Presque de but en blanc, Stere lui avait demandé pourquoi il ne se mariait pas...

« Nous sommes terriblement indiscrets! » dit soudain Mme Solomon.

En même temps, elle donna discrètement un léger coup du bout de la chaussure à Stere. Quand son beau-frère se retourna vers elle, elle lui jeta un regard indigné, le front rembruni et le visage presque altéré.

« Aglaé, la voiture des autres s'est arrêtée! » annonça Riri, la main en l'air.

Ils regardèrent tous. A quelque cinq cents mètres en aval, tout près de l'orée de la forêt, l'autre voiture s'était effectivement arrêtée.

Quelqu'un lui avait fait signe des deux bras, au milieu du chemin. C'était un jeune homme élancé, brun, tête nue, avec des lunettes de soleil. Probablement avait-il oublié de les ôter, car maintenant le soleil s'était couché et la lumière était transparente.

« Ne m'en veuillez pas de vous avoir arrêté de la sorte, dit-il très correctement en s'approchant de la voiture pour saluer. Je suppose que vous allez à Càldàrushani et je vous prierais de bien vouloir me prendre avec vous, sur le marchepied de la voiture. »

Il souriait, mais ne paraissait nullement intimidé. Il avait posé la main droite sur la portière et, de la main gauche, il enleva tranquillement ses lunettes. Dorina tressaillit. Il avait des yeux très vifs, ardents, aux pupilles inhabituellement grandes. A en juger à ses gestes et son langage, le jeune homme paraissait de bonne famille.

Liza regarda avec admiration ses vêtements parfaitement coupés, sportifs, avec de grandes poches sur le devant.

« Je me suis perdu, comme si c'était possible! ajouta joyeusement le jeune homme. Ou plutôt, je me suis endormi en forêt, et mes amis sont partis plus loin en voiture. Nous allions nous aussi au monastère... »

Le capitaine se leva pour lui céder la place.

« Je n'ai nullement l'intention de vous déranger, protesta l'inconnu. Quand je disais que je souhaitais vous accompagner sur le marchepied, je n'exagérais pas... J'y serais parfaitement à l'aise...

— Il vaudrait mieux se serrer un peu, dit Liza. Ou alors, je prends Dorina dans mes bras... »

Le jeune homme dut se soumettre. Il monta dans la voiture tout en multipliant les excuses.

« Permettez-moi de me présenter, dit-il. Je m'appelle Serge Andronic, aviateur de profession, ou presque aviateur... »

Il rit de nouveau, découvrant toutes ses dents. Tandis qu'elle lui tendait la main, Liza observa que le jeune homme était plutôt hâlé que brun. Il semblait être un sportif passionné, un homme qui passait une bonne partie de la journée en plein air. Monsieur Serge Andronic baisa les mains des dames avec une parfaite élégance. Dorina rougit. De ses cheveux s'exhalait un très vague parfum de santé virile.

« Ainsi vous ferez également connaissance avec les autres », dit Vladimir en voyant se rapprocher l'autre voiture.

Serge Andronic tourna la tête. La deuxième voiture s'arrêta à côté, sur la route. Vladimir fit les présentations.

Stere paraissait ravi de l'incident.

« Ne vous en faites pas si vous ne trouvez pas vos amis, dit-il. Restez avec nous. »

Le jeune homme inclina la tête en remerciant. D'ailleurs, il ne paraissait vraiment pas s'en faire, il ne semblait même pas inquiet. Dès qu'il fut installé à l'arrière de la voiture, entre Liza — qui tenait Dorina dans ses bras — et le capitaine Manuilà, il se mit à parler avec volubilité, s'essayant même à la plaisanterie. Ce que cela veut dire d'avoir l'*usage du monde**, songea Liza fascinée par ce jeune homme qui laissait transparaître à la fois tant d'assurance et de fantaisie.

« Nous sommes arrivés ce matin de Pipera pour déjeuner en forêt, commença l'inconnu dès que la voiture repartit. Ils sont venus me chercher, ils, c'est-à-dire mes amis... C'est là que j'accomplis mes heures de vol... Mais ne croyez pas que je

* En français dans le texte (n.d.t.).

puisse déjà voler tout seul! Pour le moment, j'apprends... »

Dorina et Liza l'écoutaient avidement. Quelle volupté de pouvoir voler!

« Ce doit être assez difficile, intervint Vladimir soudain passionné.

— La première fois, quand l'avion t'enlève. Là, c'est moche. On a l'impression que tout est fini, que jamais on ne reviendra sain et sauf sur terre... Après, on s'habitue, et on aime. On sent qu'on ne commence vraiment à vivre que là-haut... »

Le capitaine Manuilà sourit en lui-même, avec une pointe de tristesse. C'était tellement littéraire ce que disait le jeune homme, et pourtant, ses paroles impressionnaient de manière extraordinaire. Surtout les dames. Allez savoir...

C'était vrai, Dorina et Liza semblaient transfigurées. Cela leur arrivait si rarement de parler à un aviateur... Et jamais elles n'en avaient rencontré un civil, jeune, élégant, qui, de surcroît, était avec elles en voiture et qui leur était reconnaissant d'avoir accepté de le prendre...

« N'ayez pas peur quand je vous présenterai mes amis, continua le jeune homme. Ils sont terribles. Je ne peux même pas vous dire à quoi ils ressembleront quand nous les retrouverons. Moi, je les ai laissés à jeûn et décents; ou plutôt, ce sont eux qui m'ont laissé... »

Il se remit à rire. Il avait un rire sain, masculin, contagieux. Liza et Dorina se mirent elles aussi à rire. Le capitaine Manuilà se contenta de sourire. Impossible d'en vouloir à ce garçon. Mais il devait être un peu voyou...

« Vous nous faites vraiment très peur! s'exclama Liza, qui avait enfin trouvé le ton de conversation qu'elle cherchait depuis que le jeune homme était monté en voiture.

— C'est qui, vos amis? demanda Dorina, plus timide.

— Le plus responsable, c'est un ingénieur des usines de Reshitsa*, expliqua sérieusement Andronic. Les autres, c'est en fait plutôt elles; parce qu'il y a d'abord un architecte et ses petites amies, deux belles étrangères. Je n'en sais pas plus... »

Dorina se força à sourire. Ce ne serait pas particulièrement agréable; peut-être ces filles ne savaient-elles pas un mot de roumain, il faudrait parler français — ce qui ne l'enchantait nullement.

Liza au contraire était heureuse de pouvoir parler français. Elle avait passé deux ans à Paris; d'ailleurs, elle essayait toujours de parler français avec ses amies... Et puis, peut-être ces étrangères-là avaient-elles un tas de relations intéressantes à Bucarest. Les milieux diplomati-

---

* Petite ville industrielle de Roumanie.

ques, les thés, les soirées aristocratiques... De toute façon, la rencontre était merveilleuse. La soirée serait admirable...

« Dommage que nous n'ayons pas de costumes de bain, reprit Andronic quand ils s'approchèrent du monastère. Vous n'avez pas idée combien il est agréable de nager par une nuit de lune dans le lac...

— Il doit quand même faire froid, dit Vladimir. Nous ne sommes qu'en mai...

— Oh! vous savez, moi je me baigne aussi en février », s'exclama le jeune homme.

Il semblait sincère. Il parlait vraiment beaucoup, vite, avec assurance, sans pour autant donner l'impression de jeter de la poudre aux yeux. Tel qu'il était, large d'épaules, les bras bien découplés, brûlé par le soleil, il semblait naturel de le voir se baigner par un matin de février.

« Si la lune se montre, il faut absolument faire une sérénade en barque, ajouta-t-il. Arsenic a une balalaïka.

— Qui ça? interrogea Liza avec étonnement.

— Arsenic, l'ami dont je parlais.

— Mais pourquoi l'appelez-vous comme ça? Liza se mit à rire.

— Oh, il y a tant de femmes qui se sont déjà tuées pour lui! » expliqua Andronic en hochant la tête.

La voiture était entrée dans l'allée et s'arrêta à la porte du monastère. C'est seulement en arrivant là, entre les arbres, qu'ils virent que le soir était déjà tombé. Les deux femmes sentirent un léger frisson leur parcourir le dos.

IV

Après avoir déposé valises et paniers de victuailles auprès du frère hospitalier, alors que le groupe s'apprêtait à descendre vers le lac, Serge Andronic les rejoignit en courant, venant des cellules.

« Je ne les trouve nulle part! s'écria-t-il, dépité et en même temps presque amusé de son propre embarras. A croire que la terre les a engloutis! »

Dorina ne put dissimuler un geste de joie. Riri et le capitaine l'observèrent en même temps.

« Peut-être sont-ils repartis pour Bucarest, hasarda-t-elle.

— Ça, ce n'est vraiment pas possible! dit Andronic. J'imagine un peu ce qu'ils ont fait : ils ont dû aboutir à un autre monastère! »

Il éclata de rire et enfonça ses deux mains dans ses poches en regardant le lac, comme si de rien n'était.

« Ne désespérez pas, dit Stere, nous

vous ramènerons en voiture demain matin.

— Merci beaucoup! Mais la question pour moi est de savoir ce que je mettrai cette nuit pour dormir et comment vais-je me raser demain matin!... Il se tourna vers Liza, qui le regardait en souriant. Excusez-moi, madame, de ces détails si indiscrets. Mais si vous saviez combien je deviens affreux du jour au lendemain, si vous saviez la barbe hideuse qui pousse dans la nuit... C'est terrible! »

Les dames se mirent à rire, en particulier Mme Solomon.

« C'est terrible! Je n'exagère pas le moins du monde, souligna Andronic. Vous n'aurez même pas le courage de me prendre avec vous en voiture. Sauf si vous avez une grosse malle... »

Il parlait avec tant de sincérité et de spontanéité que le capitaine Manuilà lui-même ne put se retenir de rire.

« Vous croyez qu'il est encore temps d'aller se promener en barque? » interrogea Vladimir.

M. Solomon consulta sa montre. Il continuait de se sentir des responsabilités d'amphitryon, même au monastère. D'ailleur c'était lui qui avait tout arrangé sur place. C'est à lui que l'intendance avait été confiée. La plupart des moines le connaissaient.

« Huit heures et quart! déclara M. Solomon. Si vous n'avez pas faim...

— Oh, ça va, laisse tomber, on a toute la nuit pour le banquet! » répliqua Liza.

Elle tenait absolument à se promener en barque avec le jeune inconnu. Au ton de Liza, M. Solomon comprit qu'il avait commis une gaffe en parlant de nourriture.

« Comme vous voulez, dit-il. Il faudrait simplement trouver des barques. »

Andronic était descendu tout près de l'eau; c'était miracle qu'il ne se soit point enfoncé dans le limon humide, à l'éclat éteint. Il semblait contempler très attentivement un point au milieu du lac.

« Attention de ne pas glisser! lui cria Stere. Cette eau est terriblement traîtresse! »

Le jeune homme tourna la tête avec un sourire trouble.

« Comme si je ne la connaissais pas! Je regardais pour voir si je me souvenais exactement de l'endroit où la barque a coulé il y a environ deux ans et que j'étais sur le point de me noyer...

— Que racontez-vous là? » tressaillit M. Solomon. Andronic remonta sur la berge auprès des autres. Il paraissait changé : pensif, presque mélancolique. Il remit ses mains dans les poches. Son pas était plus lourd. Il paraissait ressortir d'un tombeau.

« J'étais sur le point de me noyer...
C'est trop peu dire, ajouta-t-il. Un de mes
amis s'est noyé à ce moment-là, l'avocat
Haralambie...

— Comment, vous aussi vous étiez dans
cette barque? C'est extraordinaire! Quand
vous avez parlé de noyade, j'allais justement rappeler Haralambie... Quelle
coïncidence! Vous savez, je le connaissais
moi aussi. Quand j'ai appris la nouvelle,
j'ai voulu venir, mais je ne sais plus ce qui
s'est passé, je n'ai pas pu...

— Il y avait le procès ce jour-là, lui rappela Mme Solomon.

— C'est cela, confirma M. Solomon. Un
de mes ennuis... Quel dommage, un
homme pareil!...

— Mais comment est-ce arrivé? » interrogea Dorina, émue.

Andronic l'attirait encore davantage à
présent, il la grisait. Il avait passé par tellement de dangers. Il affrontait la mort à
chaque heure. Il y avait autour de lui tant
de mystère, tant de virilité et tant d'aventure que Dorina commença à le regarder
éperdument. Comme si un pouvoir
énorme la broyait après l'avoir attirée très
près, tout près de ce bel inconnu, auquel
aucun espoir ne pouvait cependant la lier.
Le capitaine lui parut alors encore plus
neutre, plus indifférent. Elle le voyait, la
main droite serrée sur le bouton de poche
de sa tunique, aux aguets.

« Comment pareil malheur a pu arriver? répéta Dorina.

— Moi non plus je ne comprends pas très bien ce qui s'est passé, répondit doucement Andronic. Ce n'était pourtant pas la première fois que nous ramions sur ce lac. Et malgré tout, par là-bas, vers le milieu — il fit un signe du bras — la barque a tournoyé plusieurs fois sur elle-même et elle s'est retournée...

— Il y avait peut-être un tourbillon, dit Stamate.

— Sans aucun doute, répondit Andronic après lui avoir lancé un long regard. Mais ça non plus, ce n'était pas si grave. Nous savions très bien nager tous les deux. Et puis, il y avait encore la barque, nous pouvions nous en servir... Mais elle a coulé, messieurs, elle est allée au fond comme par enchantement, comme lestée de plomb... »

Il se tut quelques instants. Tout le monde était ému, mal à l'aise. Personne n'avait plus envie de se promener en barque. Comme si tout s'était brusquement assombri, avec les ténèbres qui arrivaient par vagues de la forêt.

« Il y avait beaucoup d'algues sous l'eau, dit M. Solomon. Je sais qu'après, il avait été question au prieuré de les arracher complètement... Mais elles repoussent!

— C'est la malédiction du jonc, déclara

Andronic, de ne jamais mourir, de pousser éternellement sous l'eau...

— Il s'est noyé vite? demanda Liza.

— Je n'ai aperçu que sa tête quelques secondes, et puis il a coulé... Je me demande comment je m'en suis sorti...

— C'est Dieu qui vous a aidé », dit Mme Solomon.

Andronic ne put dissimuler un sourire triste, très long.

« C'est peut-être vrai », répondit-il mollement.

Ils se mirent en marche lentement, en groupe, au bord du lac. Vladimir regardait du coin de l'œil la barque qu'ils avaient laissée derrière eux, attachée à un pieu. Puis Andronic parut se souvenir de quelque chose, car il s'arrêta soudain, sortit ses mains de ses poches et partit d'un éclat de rire :

« Mais cela ne devrait pas nous intimider! s'exclama-t-il. Cela ne veut pas dire que nous n'allons plus nous promener en barque! »

Il jeta un regard vif au groupe. Ses yeux étincelaient, furetant de l'un à l'autre. Il s'arrêta notamment à Riri et à Vladimir.

« Et si nous allions nous promener maintenant sur le lac? » interrogea-t-il brusquement, faisant mine de rebrousser chemin.

Stere le saisit par le bras.

« Pas d'enfantillage! dit-il. Il ne faut pas défier sa chance...

— Mais si ça me démange... », murmura Andronic plutôt pour lui-même, un regard en coin vers l'eau.

Riri se mit à rire. L'exclamation d'Andronic lui paraissait tellement comique...

« Mieux vaudrait aller vers la forêt », proposa M. Solomon, en faisant signe de hâter le pas. Le groupe reprit sa marche nonchalante, Andronic, Vladimir et Dorina à l'arrière. M. Solomon saisit le bras de son épouse et avança d'un pas plus rapide, afin de pouvoir parler sans crainte d'être entendu.

« Qui c'est, celui-là? dit-il d'un ton irrité. A moi, il ne me plaît guère... Il relègue le capitaine dans l'ombre. Et maman disait que nous devrions quand même nous arranger d'une manière ou d'une autre ce soir... Peut-être vaudrait-il mieux les laisser seuls, tu sais, les deux... »

Mme Solomon écouta sans le moindre intérêt les confidences de son mari. Son regard se posait moelleusement sur l'ombre de la forêt, devant eux.

« Et que veux-tu que je fasse? interrogea-t-elle paresseusement. Après l'avoir invité, vous ne pouvez guère lui dire qu'il vous ennuie. Et puis, le pauvre, je n'ai nullement l'impression qu'il fasse la cour à Dorina...

— Ça, non, convint M. Solomon. Je n'ai même pas voulu dire cela... Mais tu sais, ce type, cet Andronic, c'en est un qui a vu du pays, et il est beau parleur... Le capitaine est plus sérieux, il ne se mêle pas de tout et de rien, et si la discussion n'est pas convenable, tu as vu, il ne pipe pas mot... »

Il se tut quelques instants, attendant la réponse de sa femme. Mais Mme Solomon était toujours aussi distraite, aussi inattentive.

« Tu sais, c'est à nous de prendre l'initiative, reprit M. Solomon. On devrait les isoler d'une manière ou d'une autre, peut-être le garçon dirait-il quelque chose... En tout cas, il devrait la connaître un peu mieux... Mais si l'autre ne nous lâche pas d'une semelle...

— Tout à l'heure, tu ne semblais pas si contrarié, lui rappela Mme Solomon en souriant. Qu'est-ce qu'il t'arrive? »

M. Solomon rougit et serra son bras.

« Ma chère, le temps n'est plus à la plaisanterie, déclara-t-il en accélérant encore le pas. Nous devons nous arranger d'une manière ou d'une autre, n'est-ce pas?... Nous sommes en famille ici, et nous devons tous prêter notre concours... »

Sur ces entrefaites, Mme Solomon lui fit discrètement signe du coude de s'arrêter. La famille Zamfiresco sortait de la forêt et se dirigeait vers eux. Mademoiselle Zamfiresco fut la première à les reconnaître et s'empressa de venir à leur rencontre.

« Oh, que je suis contente que vous soyez vous aussi par ici! » s'écria-t-elle.

Derrière, Mme Zamfiresco et les deux hommes, son mari et son beau-frère, venaient d'un pas fatigué.

« Vous passez vous aussi la nuit ici? » demanda la dame d'un ton joyeux.

Elle était maintenant certaine qu'on allait jouer au poker. Prudente, elle avait pris deux paquets de cartes qu'elle avait cachés à Bucarest dans une poche de la voiture.

« Nous sommes tout un groupe, dit Mme Solomon non sans orgueil, indiquant d'un geste les autres qui traversaient lentement les champs. Il y a aussi un de nos amis, un aviateur, très drôle... »

Andronic venait précisément d'arriver le premier, en compagnie de Vladimir, de Stamate et de Riri. Dorina était restée un peu en arrière, avec Liza et le capitaine Manuilà. Elle semblait faire exprès de se tenir éloignée d'Andronic et évitait son regard. Cependant, le jeune homme se sentait parfaitement à l'aise et s'adressait avec la même verve à n'importe qui. Il avait pris les devants avec Vladimir, Riri et Stamate car ils avançaient tous du même pas juvénile. N'eût été la prudence de Vladimir et de Riri, qui se doutaient

pourquoi les époux Solomon les avaient
devancés, Andronic les eût rejoints depuis
belle lurette.

« ... Et mademoiselle Zamfiresco »,
Mme Solomon acheva en souriant les présentations.

Elle regarda Andronic, flattée. Ce
n'était pas donné à tout un chacun de présenter un aviateur, un sportif élégant et
aristocratique...

« C'est toute une société! » s'exclama
M. Zamfiresco, en regardant les autres
arriver.

Il fut tenté un instant de faire un jeu
de mots à propos du monastère. Monastère ou villégiature? — Cela peut-être,
ou mieux encore, une remarque destinée
uniquement aux hommes : dommage
que ce ne soit pas un monastère de
nonnes...

« Dorina, comment vas-tu? demanda
Mme Zamfiresco en l'embrassant.

— Permets-moi de te présenter... »

Le capitaine Manuilà et Stamate s'incli-
nèrent, corrects et polis. Mme Zamfiresco
les jaugea des yeux. Elle commençait de
comprendre : ils veulent marier Dorina,
ils lancent leurs filets... C'est bien sûr Stamate qu'ils visent, c'est sur lui qu'ils ont
jeté leur dévolu. Il n'a pas l'air très futé,
ils parviendront rapidement à lui mettre
le grappin dessus.

Nous venons de la forêt, expliqua

Mme Zamfiresco. Si vous saviez comme c'est merveilleux!

Elle ferma les yeux, presque extasiée.

— Nous aussi nous y allons », dit Liza, un peu dépitée que les Zamfiresco y soient allés avant eux.

Elle avait l'impression que les Zamfiresco leur avaient volé un bien qui leur appartenait, que la forêt allait être moins belle après le passage d'autres personnes. Les exclamations et les explications de Mme Zamfiresco l'agaçaient. Elle tenta de l'interrompre.

« Allez, les enfants, il faut se dépêcher, dit Liza en se tournant vers Vladimir et les autres. Jusqu'à ce que la lune se lève, nous allons tâtonner dans l'obscurité...

— Suivez le grand chemin, celui du milieu, se dépêcha de leur conseiller Mme Zamfiresco. Autrement, vous allez vous perdre...

— Oui, oui, fit Liza en se mettant en marche. On se verra plus tard, au monastère. »

Elle s'en fut aux côtés des époux Solomon et de Stamate. Le capitaine, Dorina et Stere restèrent un peu en arrière. Les autres et Andronic se promenaient à leur gré en discutant.

« Sachez que j'aurai peur, déclara Riri en riant. Ne m'effrayez pas davantage...

— Moi, je ne promets rien, dit Andronic

feignant d'être sérieux. La forêt sans avoir peur, ça n'a aucun charme... »

Dorina entendit ses dernières paroles et sourit, rêveuse. Elle marchait plutôt les yeux à terre.

« Ici, c'est juste pour votre ami, dit Stere en s'adressant au capitaine. Dans un bois, la nuit, c'est bon pour chanter...

— Oui, ce ne serait pas mal, approuva le capitaine Manuilà, absent. Mais je crois que pour un citadin, reprit-il, c'est difficile.

— On pourrait jouer aux gendarmes et aux voleurs — Dorina entendit de nouveau la voix d'Andronic. Si vous ne me prenez pas comme capitaine des gendarmes, vous n'attraperez personne de toute la nuit... »

Riri se mit à rire; Dorina continuait de sourire, d'un sourire forcé. Elle commençait à en avoir assez de cet inlassable compagnonnage : Riri, Andronic, Vladimir.

« Attention, mademoiselle! »

La voix du capitaine. Dorina avait marché par inadvertance sur une branche sèche. Le craquement l'effaroucha moins que le cri de Manuilà. Quand elle tourna la tête, elle rencontra le regard du capitaine. Il brillait dans l'ombre comme des yeux de chat. Dorina tressaillit.

« Vous vous êtes égratignée? » interrogea-t-il derechef, en la saisissant par le bras.

Il avait à présent une voix grave, chaude. Et ses gestes étaient plus moelleux, caressants.

« Tu as déchiré ton bas, Dorina? » demanda Riri par derrière.

Elle accourait pour venir voir ce qui s'était passé. Derrière elle, en quelques enjambées, Andronic arriva à son tour.

« Je ne venais pas voir si le bas est déchiré, déclara-t-il en riant. Je voulais vous proposer un jeu... Et c'est vous, capitaine, qui en prendrez la direction, poursuivit-il sur un ton familier en se tournant vers Manuilà.

— Avec plaisir, si vous acceptez aussi les plus de trente ans, dit le capitaine.

— Voilà, expliqua Andronic. Chacun de nous s'en va à son tour... Mais nous aurions besoin d'une montre à cadran lumineux pour cela, ajouta-t-il.

— Stamate a une bonne montre, on la voit parfaitement dans l'obscurité, dit le capitaine.

Il regarda vers le groupe où se trouvait son ami. Il le devinait à peine.

« Attendez, je vais y aller », proposa Vladimir, et il s'en fut au pas de course.

Les époux Solomon et Stamate s'étaient adossés à un tronc d'arbre abattu.

« Quelle belle nuit! » s'exclama Liza.

Elle affectait d'être un peu lasse; en fait, elle attendait que les autres se rapprochent, Andronic surtout. Elle commençait à en avoir assez du silence de ses compagnons. Stamate parlait peu, surveillant chacune de ses paroles; comme s'il était amoureux, s'était dit Mme Solomon.

« Quelque chose est arrivé? interrogea M. Solomon.

— Non, rien. C'est le capitaine qui m'a envoyé vous chercher, s'adressa-t-il à Stamate, il vous prie de lui prêter votre montre... Nous voulons jouer à un nouveau jeu, précisa-t-il en s'essuyant le front.

— On y va nous aussi, les enfants », dit Liza, brusquement inquiète.

Elle partit plus rapidement qu'il ne le convenait sur le chemin difficilement discernable dans l'ombre grise. Son cœur s'était mis à battre plus fort, et elle ressentait ce battement dans tout son corps. Comme si quelque chose de grave se préparait, comme si elle s'attendait à apprendre une chose urgente et grave, là-bas, dans ce groupe d'où émergeait Andronic.

« Je l'ai ramenée, s'écria victorieusement Vladimir en les dépassant tous.

Andronic prit la montre et la remit à Stere.

— Vous attendez une minute, mais une minute *tout juste*, acheva-t-il son explication, et puis vous donnez le signal du départ au suivant. Celui qui ne revient pas jusqu'à ce que l'autre arrive à l'arbre, il sait ce qui l'attend! »

Riri se mit à rire.

« Mais moi, j'ai peur de courir toute seule jusqu'à l'arbre, se plaignit-elle.

— Celui qui a peur ne joue pas et reste ici, près de l'arbitre, dit Andronic.

— Bon, alors je joue... »

Les époux Solomon et Liza ne comprenaient rien.

« Qu'est-ce qui se passe? demanda Mme Solomon.

— Maintenant, donnez les gages, reprit Andronic sans répondre à la question. Vous les mettez tous dans un chapeau... »

Il parcourut du regard tous les hommes du groupe. Seul Stere portait un chapeau, et le capitaine Manuilà — le képi.

« On va demander à monsieur le capitaine de nous prêter son képi », dit-il poliment.

Le capitaine Manuilà l'ôta et le lui remit en souriant.

« Merci. Maintenant, qui vient avec moi pour marquer l'arbre? » interrogea de nouveau Andronic.

Dorina voulut y aller elle aussi, mais Riri et Vladimir la devancèrent.

« Expliquez-nous à nous aussi ce nouveau jeu! pria Liza, énervée.

— Tu vas comprendre tout de suite, dit timidement Dorina. Tu sais, c'est une espèce de course dans la forêt... Mais il ne

faut pas avoir peur, il ne faut pas trébucher ni tomber. Autrement, la minute, elle
file... »

Ils suivirent du regard le trio parti marquer l'arbre.

V

Le premier à entrer dans le jeu fut Vladimir. Il avait pris le gage de Dorina, un mouchoir lié d'un fil de soie rouge et blanc. Il courait tout ému, à grandes enjambées, en se gardant des souches. Il vit l'arbre de loin. Là-bas, au creux du tronc, il y avait son propre gage et le briquet d'Andronic. Vladimir alluma le briquet, échangea les gages et s'empressa de prendre un autre chemin pour le retour. Il avait entendu le signal de Stere.

« Le deuxième!... »

Si seulement le briquet restait allumé jusqu'à ce que Dorina arrive, songea Vladimir. Il tourna la tête. Entre les arbres, il entrevit la jupe blanche de la jeune fille.

« Vladimir! cria Dorina. Ne t'éloigne pas trop, j'ai peur!...

— Je vais perdre le gage! » s'excusa Vladimir.

Dorina chercha l'arbre à la lumière. On ne voyait rien. Et si le vent l'avait éteinte?... Elle se mit à courir plus fort, la main serrée sur la poitrine. Combien de secondes s'étaient-elles écoulées? Elle regardait avec inquiétude devant elle. Peut-être me suis-je trompée de chemin? Soudain, elle reconnut l'arbre. Le grand papier blanc qu'Andronic avait déposé comme signe était bien visible. En s'approchant, Dorina aperçut au creux de l'arbre la flamme vacillante du briquet. Elle s'en saisit avec émotion. Elle l'éteignit, le garda quelques secondes dans sa paume sans vraiment prendre conscience de son geste. Puis elle échangea rapidement les gages. A présent, c'était au tour de Stamate de partir; comme gage, il avait un stylo à encre. C'était si facile de le tenir en main en courant...

« Le troisième! » entendit-elle au loin la voix de Stere.

Elle craignit soudain d'être en retard et elle s'en alla en courant. Il semblait que maintenant, les ténèbres étaient plus noires. Il lui fallait contourner la clairière pour rejoindre le groupe par un autre chemin. Mais elle emprunta le même. Quelques instants plus tard, elle entrevit une ombre effrayée courir à grands pas. Elle perçut sa respiration. Stamate courait le menton dans la poitrine, les poings serrés. Il voulait battre un record.

« Vous vous êtes trompée de chemin! cria-t-il soudain en se trouvant nez à nez avec Dorina, presque à la heurter.

— J'ai eu peur! » cria Dorina sans ralentir.

Cela signifie-t-il que j'ai perdu le gage si je reprends le même chemin?... Cette pensée la troubla. Il se pourrait qu'Andronic lui-même, qui devait être le cinquième à courir...

« C'est par ici qu'on revient? » l'interpella Stere quand elle arriva.

Il était là, montre en main, sérieux, presque grave; il se sentait véritablement honoré d'avoir été choisi comme arbitre. Il était le seul à avoir une voix si puissante et si claire pour porter jusqu'à la clairière...

« J'ai eu peur de revenir par là-bas, s'excusa Dorina, une main sur le cœur. Peur de rencontrer un serpent... »

Les dames poussèrent un cri.

« Il n'y a pas de serpent par ici, déclara péremptoirement Andronic.

— Le quatrième! cria brusquement Stere, qui n'avait pas quitté le cadran des yeux. Liza, file! »

Liza s'élança d'un seul coup. Depuis que Stamate était parti et qu'on lui avait dit que c'était son tour, elle était restée les muscles bandés, les yeux fixés sur l'obscurité. Elle avait suivi l'ombre de Stamate en train de se perdre entre les arbres. Elle

avait un peu peur de la nuit qui l'attendait
pour l'engloutir quelques pas plus loin, la
dévorer dans la solitude. Quand elle avait
entendu Dorina parler de serpent, un frisson glacé lui avait couru dans le dos. Mais
les paroles d'Andronic la rassurèrent. Ce
n'était qu'un jeu. Deux minutes seule dans
la forêt. Et puis, c'était Andronic qui
devait la suivre...

Elle arriva assez rapidement à l'arbre
marqué de blanc. Elle échangea les gages,
puis chercha le briquet. Elle le trouva
éteint. Sans doute le vent, ou bien cet
imbécile de Stamate n'avait pas su
l'allumer comme il faut. Elle s'appuya
contre l'arbre. Son cœur battait, mais pas
en raison de la course. Elle avait soudain
froid. Tellement froid que par instants,
ses dents claquaient.

« Le cinquième! » entendit-elle la voix
de son mari, qui lui parut un peu plus
rauque.

Elle demeura adossée à l'arbre, s'efforçant de maîtriser le tremblement de tout
son corps. C'est une bêtise ce que je suis
en train de faire, c'est bête...

Andronic était parti de son pas large,
enlevé et rythmé, d'athlète passionné par
le jeu. Il s'en était allé accompagné par
tous les regards. Surtout Dorina et Riri le
suivaient avec émotion, le regardant
s'éloigner svelte et léger dans l'obscurité.
Dorina tourna ensuite la tête à droite,

pour voir si Liza revenait. Elle attendit quelques instants, puis scruta derechef les ténèbres devant elle. Que faisait-elle donc pour tellement tarder?... Riri trépignait nerveusement. C'était son tour maintenant. Quand Stere leva la main, s'apprêtant à dire « le suivant! », Riri partit brusquement.

« Liza! cria Dorina avec impatience. Tu t'es perdue?

— Qu'est-ce qu'elle peut bien faire? interrogea à son tour Stere, les yeux sur le cadran. Il y a déjà deux minutes et près de quinze secondes qu'elle est partie. J'espère qu'il ne lui est rien arrivé, qu'elle n'a pas glissé!

— Liza-a-a-! hurla Vladimir. Tu as perdu! »

Liza entendit le cri, mais ne s'empressa point de répondre, de les tranquilliser. Elle était énervée, déçue, et avait presque envie de pleurer. Andronic ne se montra ni surpris ni heureux de la trouver là, appuyée à l'arbre. Il se contenta de lui demander poliment :

« Vous êtes fatiguée, madame? »

Elle marmonna quelques mots. Elle attendait quelque chose, au moins un mot. Mais Andronic s'était tourné vers la cavité, il avait échangé les gages, rallumé le briquet après avoir rapidement nettoyé la mèche, et il finit par lui demander avec indifférence :

« Vous vous donnez si vite battue? Il reste encore une trentaine de secondes... »

Puis il s'en alla de son pas décidé en direction de la clairière. Liza ressentit une écrasante humiliation. En cet instant, elle aurait pleuré, insulté. Elle continuait de ne pas bouger. Elle serait ridicule de courir à présent après lui. Mais elle aurait tellement honte si Riri venait à la découvrir ainsi...

Quand elle la vit arriver, elle contourna l'arbre et prit un autre chemin. Son cœur ne battait plus la chamade. Seul un vide, un énervement stupide...

« Liza-a-a! entendit-elle une fois encore la voix de Vladimir.

— Je l'ai trouvée appuyée contre l'arbre, expliqua Andronic à son retour. J'ai l'impression qu'elle s'est fatiguée trop vite. »

Au moment où le capitaine Manuilà s'apprêtait à partir, Liza apparut derrière les arbres.

« Que t'est-il arrivé? lui demanda amicalement Stere.

— J'ai couru trop vite, j'ai un peu mal à la tête », répondit Liza.

Il lui sembla que Dorina lui jetait un regard inquisiteur, soupçonneux, et cela l'agaça encore davantage. Jusqu'à la fin du jeu, elle s'isola du groupe et fuma pour tromper son ennui. Soudain, la voix d'Andronic s'éleva une nouvelle fois, la faisant tressaillir tout en l'inquiétant :

« Maintenant, la deuxième partie commence, la plus palpitante. Sans arbitre. Tout le monde court et se cache. Le seul arbitre, c'est la montre... »

Liza se rapprocha du groupe.

« Tout le monde a son gage à la main? interrogea une fois encore Andronic.

— Moi aussi je dois courir? l'interrompit Stere. Ce sera un peu difficile...

— Pas besoin de courir longtemps, le rassura Andronic. Juste pour se cacher... Puis, en se tournant vers les autres comme pour leur rappeler une leçon : Chacun revient avant un quart d'heure au moins une fois ici et prend le premier gage qui lui tombe sous la main. Bien sûr, parole d'honneur...

— Comment, la montre aussi on la laisse ici? demanda le capitaine Manuilà.

— Nous sommes tout seuls, répliqua Andronic.

— Mais alors, à quoi sert la montre? interrogea M. Solomon.

— C'est précisément cela le mystère du jeu, dit Andronic en riant. Le contrôle, l'arbitre... »

Personne ne comprenait ce qui allait se passer, et cela les rendait d'autant plus curieux et impatients. Ils regardaient dans tous les coins, comme s'ils cherchaient déjà le chemin qu'ils allaient suivre dans la forêt et l'endroit où ils allaient se cacher. La nuit était totale. Vers le lac, le

ciel blanchissait délicatement; là-haut,
entre les branches, on apercevait quelques étoiles. Un grand silence s'étendait
sur les alentours, sans que nul n'y prît
garde, sans effaroucher personne.

« Il faut courir chacun pour soi, tout
seul, dans des directions différentes,
ajouta Andronic. Mais n'allez pas tous au
monastère, ne me laissez pas seul ici...

— Et vous, vous allez où? demanda le
capitaine Manuilà.

— Je pars le dernier », répondit Andronic.

Stamate chercha les yeux de son ami,
comme s'il voulait lui demander quelque
chose.

« Que celui qui a perdu le gage parte le
premier », dit Andronic.

Liza tressaillit. Elle sortit du rang en
souriant et voyant que chacun l'encoura-
geait d'un signe de la main, elle s'en fut
en courant.

« Ne cours pas trop vite, tu vas encore
te faire mal! » lui cria Stere par derrière.

Liza ne répondit point.

VI

Le capitaine Manuilà et Andronic étaient restés les derniers. On entendait encore les pas lourds, prudents, de Stere. De temps à autre s'élevaient des rires féminins, des cris. C'était Vladimir qui ne cessait de turlupiner, ainsi que Riri et Mme Solomon qui étaient convenues de demeurer assez près l'une de l'autre.

« C'est votre tour, capitaine! lui rappela en souriant Andronic.

— Et si nous leur jouions un tour, si nous nous cachions par ici sans partir? proposa Manuilà.

— Le jeu en serait faussé. C'est seulement maintenant que commence la partie la plus belle, celle qu'on ne connaît pas...

— Vous ne pouvez pas me le dire, à moi? » pria le capitaine.

Andronic se mit à rire et posa un instant sa main sur l'épaule de Manuilà. Ce fut un geste bref, nerveux, et le capitaine tressaillit.

« Comme si moi je savais ce qui va se passer! dit Andronic. C'est maintenant seulement que le jeu est beau, quand personne ne le connaît.

— C'est vrai, c'est sérieux ce que vous dites? s'étonna le capitaine. Mais alors, pourquoi laisser la montre ici?...

— En tout cas, personne ne la volera, se hâta de répondre Andronic. Nous serions décidément bien naïfs de coopérer, une douzaine de personnes parfaitement raisonnables, à l'invention d'un nouveau jeu uniquement pour que quelqu'un puisse voler une montre à cadran phosphorescent!... »

Le capitaine rougit, mais ne cilla point. Il continuait de fixer Andronic droit dans les yeux. Le jeune homme ne semblait nullement embarrassé par le regard inquisiteur de Manuilà.

« Alors? interrogea celui-ci encore une fois.

— Eh bien, comme si c'était si difficile à deviner! s'exclama Andronic. Pour savoir comment le temps passe! »

Il se remit à rire et fit signe à Manuilà qu'il était temps de partir pour se cacher.

« Moi, je reste le tout dernier », dit Andronic.

Incrédule, le capitaine hocha la tête et s'en fut à grands pas, au hasard. Andronic le laissa s'éloigner, suivant l'ombre du regard jusqu'à ce qu'elle ait disparu dans les ténèbres. Puis il éclata de rire.

« Enfin, je les ai semés! » murmura-t-il entre ses dents.

Il se baissa, ramassa la montre et contempla le cadran lumineux : neuf heures cinq.

« Je les laisse jouer jusqu'à dix heures, ajouta Andronic pour lui-même, toujours aussi railleur. Après, les enfants sages vont dîner gentiment et se préparer à aller au lit... »

Il remit la montre à l'endroit convenu et s'en fut d'un pas rapide en direction du lac. Bientôt, il sortit de la forêt. Il jeta un coup d'œil à droite et à gauche, pour s'assurer que personne ne l'avait vu. D'ailleurs, il supposait qu'ils s'étaient tous cachés au cœur de la forêt. On entendait jaillir sans cesse de là-bas des rires, des cris effarouchés, des craquements de branches. Andronic arriva au bord du lac et chercha des yeux une cachette. Il se dirigea vers une meule de foin récemment fauché et s'allongea sans rien craindre, les bras croisés sous la nuque. Ses yeux rencontrèrent soudain le ciel au-dessus de lui, et il cligna, noyé par les ténèbres. Éteintes et lointaines, les rumeurs de voix dans la forêt parvenaient jusqu'à lui.

« Pourvu qu'ils n'aient pas peur de leur propre frayeur », murmura doucement Andronic en souriant.

Liza, qui avait été la première à prendre le départ et était arrivée le plus loin, s'arrêta brusquement, le regard rivé devant elle. Elle crut voir une ombre se mouvoir attentivement, comme à l'affût de son approche; il lui sembla en cet instant entendre une respiration retenue, pareille à celle d'un fauve. Elle eut peur et resta clouée sur place, n'osant plus regarder ailleurs que devant elle. L'ombre bougea doucement, prudemment, craignant de faire le moindre bruit.

Liza serait restée longtemps ainsi, le regard fixe et la respiration courte, n'eût-elle entendu inopinément une voix sur sa droite.

« Qui va là? »

Elle reconnut Stamate qui s'approchait lui aussi non sans crainte, les muscles tendus.

« Chut! ne faites pas de bruit! chuchota Liza. Vous n'avez pas l'impression qu'il y a quelque chose devant nous? »

Stamate regarda attentivement.

« Je ne vois rien... »

C'était peut-être le vent, rien de plus. Il se trouvait maintenant tout près de Liza, jusqu'à percevoir presque sa respiration dans son propre corps. Et il n'était même plus tellement intimidé par sa présence.

« Ce n'est rien », ajouta-t-il pour la tranquilliser.

C'était vrai : l'ombre semblait brusquement s'être évanouie; pas le moindre mouvement, pas un bruit. Seul restait le vent, un vent moelleux au-dessus des branches.

« Que font les autres? interrogea soudain Liza, excitée. Vous avez vu quelqu'un?

— Juste mademoiselle Riri, dit Stamate en se rapprochant encore de Liza. Elle était seule...

— Puisque vous l'avez laissée toute seule... dit Liza, insinuante.

— ... Ce n'est pas elle que je cherchais », s'aventura Stamate en la saisissant par le bras.

Liza ne s'y opposa point. Cela l'amusait et la flattait en même temps, cette brusque passion qu'elle avait réussi à allumer dans le cœur du taciturne ingénieur. Elle savait qu'elle pouvait jouer sans danger avec lui. Il était trop timide, trop poli.

« Que peut bien faire Andronic? demanda-t-elle subitement pour rompre le silence. Il me semble que c'est un type très douteux, ajouta-t-elle hâtivement. Vous, vous y comprenez quelque chose à ce jeu-là?

— Rien, se dépêcha de répondre galamment Stamate. Mais il me plaît d'autant plus... Autrement, jamais je n'aurais pu être seul avec vous... »

Il sentait battre son cœur. Il tenait son bras très près de sa poitrine. Liza se mit à rire.

« Mais maintenant au moins, vous êtes sûr que nous sommes vraiment seuls? » dit-elle en le regardant droit dans les yeux.

Stamate tressaillit. Elle m'encourage. Il la prit dans ses bras et essaya de l'embrasser. Liza s'arracha sans peine à l'étreinte, en riant.

« Ah, pas comme ça! dit-elle en s'échappant.

— Mais vous avez été la seule à perdre. C'est un jeu de gages... »

Liza prit la fuite dans la forêt. Elle n'avait plus peur à présent qu'elle se savait poursuivie par Stamate.

Elle se sentait rajeunie, libre, et cela ne faisait qu'accroître le bonheur de la course.

« Sachez que je vais trébucher et tomber à cause de vous », cria-t-elle en entendant le souffle de l'homme derrière elle.

Stamate la reprit dans ses bras; cette fois-ci, il ne la laissa plus s'esquiver. D'ailleurs, Liza ne se débattait plus.

« Il n'était pas question de jouer aux gages? » murmura Stamate.

Il essaya de l'embrasser. Liza se déroba en riant. L'audace du jeune homme ne parvenait pas à la fâcher; du reste, elle ne le voulait pas non plus.

« Et si quelqu'un nous voyait? murmura-t-elle mystérieusement.

— C'est justement pour ça, pas de bruit! » lui dit Stamate au creux de l'oreille, en frôlant ses cheveux du bout des lèvres.

La femme frissonna. Il sentit son sein battre et la serra plus fort dans ses bras.

« Qui va là? » retentit soudain la voix de Vladimir.

Le couple ne bougea pas. Liza voulut rire, mais cacha son visage sur la poitrine de l'homme.

« Chut! dit Stamate, toujours au creux de son oreille. On va lui faire une farce...

— Qui va là? » interrogea nerveusement une seconde fois Vladimir.

Il avait entendu des voix assourdies, des rires, des bruissements — et tout cela était parvenu à son oreille prise au sortilège d'un mystère érotique, exaspérant et sensuel. Il avait senti une chaleur étrange, trouble, envahir tout son corps, pareille à une ivresse brusque et harassante. Tout près de lui, à quelques pas à peine peut-être, derrière l'un de ces grands arbres hauts et méditatifs, il se passait quelque chose d'inconnu et d'interdit. Mais qui cela pouvait-il bien être?... Vladimir fit quelques pas. Dans une autre direction, il aperçut alors une ombre lui faire des

signes des deux bras. Il se dirigea vers elle
en courant prudemment, pour éviter les
branches sèches.

« Tu as déjà vu quelqu'un jusqu'à présent? » lui demanda Mme Solomon en
l'attrapant par le bras.

A la chaleur de cette main féminine,
Vladimir comprit qu'il était arrivé quelque chose à la femme du cousin Solomon.
Elle était moite, ses yeux brillaient, sa
voix était plus grave.

« Si tu savais combien j'ai eu peur
jusqu'à ce que je te voies! se plaignit-elle
avec affection. Je suis restée seule ici
depuis que je me suis perdue...

Lentement, le même frisson s'appro-
priait de Vladimir.

— Mais comment avez-vous fait pour
vous perdre? » l'interrogea-t-il plutôt pour
dire quelque chose que pour recevoir une
réponse.

Car le silence l'épouvantait, ce silence
dans lequel on entendait uniquement le
battement de son cœur et la respiration
embrasée de la cousine.

« J'ai eu l'impression que quelqu'un me
poursuivait, reprit Mme Solomon. Toi, tu
n'as pas peur?

— Non, répondit tranquillement Vladimir. Seulement, je ne comprends rien à ce
jeu. Je ne sais même pas combien de
minutes sont passées depuis que nous
sommes partis... »

Il tourna la tête vers Mme Solomon et
rencontra son regard enflammé. Il rougit
brusquement.

« Si nous allions voir l'heure qu'il est?
demanda-t-il au hasard, pour dissimuler
son inquiétude.

— C'est pas drôle, murmura Mme Solomon. Allons plutôt surprendre quelqu'un en flagrant délit d'amour, pour leur
faire une farce... »

Ils partirent tous deux, serrés l'un
contre l'autre, en quête d'un chemin. Vladimir redoutait de passer près du bosquet
d'arbres où quelques instants auparavant,
il avait entendu des murmures et des
rires. Il le redoutait, et pourtant l'endroit
l'attirait comme par magie.

Sa cousine se faisait plus lourde à son
bras.

« Liza! entendit-on au loin la voix de
Stere.

Mme Solomon se mit à rire.

— Chacun cherche sa femme! dit-elle à
haute voix. C'est peut-être justement ça, le
jeu... »

Entendant des pas, Liza se débattit dans
les bras de Stamate.

« Laissez-moi! » murmura-telle.

Mme Solomon s'arrêta pile, comme
prise elle aussi au piège du même sortilège qui avait troublé Vladimir.

« Il y a quelqu'un par ici, dit-elle doucement. Allons les surprendre... »

Ils se rapprochèrent tous deux de l'arbre. Soudain, Liza apparut devant eux.

« Il y a un faune dans cette forêt! s'exclama-t-elle en s'efforçant de dissimuler son émoi.

— Espérons qu'il n'y en a pas qu'un seul! » dit Mme Solomon en riant.

Elle aurait voulu reprendre Vladimir par le bras, mais il était resté les yeux rivés sur l'endroit d'où avait surgi Liza. Qui pouvait-il y avoir là-bas? Et qu'avait-il pu se passer là, à l'abri, dans ces ténèbres drues? Il avait honte de ses pensées, et en même temps il en voulait à son propre corps, exaspéré de timidité. Il aurait aimé fuir. A présent, c'était comme si la forêt tout entière respirait d'une respiration humide, chaleureuse et charnelle. Comme si de tous côtés s'élevaient des halos de corps dévêtus, et dans chaque bosquet, il y avait des couples enlacés.

« Et toi, qu'est-ce que tu faisais, Vladimir? l'interrogea Liza à l'improviste. C'est toi qui t'égosillais tout à l'heure par ici? poursuivit-elle en souriant.

— Comme si tu ne le savais pas... rétorqua Vladimir, humilié et morose. Comme si tu entendais ma voix aujourd'hui pour la première fois... »

Mme Solomon se mit à rire et l'attira plus près d'elle.

« Arrête de taquiner le garçon, ne lui

fais pas de peine! » dit-elle d'un ton protecteur.

Vladimir était dégoûté de lui-même. Il fallait changer de conversation, s'échapper.

« Où peuvent bien être les autres? » s'enquit-il, puis il s'arracha rapidement du bras de Mme Solomon, porta ses deux mains à la bouche et se remit à crier.

Ce long cri parut le libérer, et Vladimir sentit son orgueil rétabli; il lui sembla que la forêt tout entière avait bouillonné et résonné à son appel.

« Vla-a-a-d! lui répondit en trille une voix féminine. Où êtes-vous cachés?

— Allons lui faire peur! proposa Liza.

— C'est Riri, dit Vladimir. Si on lui fait peur, elle va crier et nous ridiculiser... »

On voyait maintenant venir de la clairière une ombre qui avançait craintivement.

« Ne me faites pas peur! cria Riri. Je sais où vous êtes! »

Cela ne l'empêchait pas d'avancer très précautionneusement. De derrière n'importe quel arbre, n'importe qui pouvait surgir, l'enserrer dans ses bras et l'effrayer...

« Je vous dirai quelque chose de drôle, ajouta-t-elle en se rapprochant. Mais ne me faites pas peur... »

Elle s'arrêta et attendit quelques instants en tremblant.

Vladimir sortit des ténèbres au-devant d'elle.

« Où as-tu été? lui demanda-t-il pour la rassurer.

— Je suis allée voir l'heure qu'il était et je me suis perdue. Qui y a-t-il encore là-bas? interrogea Riri très vite, en scrutant les ténèbres.

— Liza et Aglaé, répondit Vladimir d'un ton morne. Tu as vu quelqu'un d'autre? »

Riri se mit à rire.

« Je suis passée près de la montre, murmura-t-elle. Tu sais, Stere et Jorj sont là-bas, tout bonnement affalés sur l'herbe... »

Liza sortit de derrière l'arbre, curieuse.

« Andronic, quelqu'un l'a vu? demanda-t-elle.

— Lui, je ne l'ai pas vu... Ils sont sans doute en train de nous mijoter quelque chose... Et puis, j'ai encore un secret, ajouta Riri en baissant de nouveau la voix. Dorina et le capitaine se promènent comme deux amoureux... »

Mme Solomon s'approcha à son tour.

« Tu les as vus? C'était le capitaine, ou bien Andronic? » interrogea Liza.

Riri protesta. C'était bien le capitaine, qui allait du même pas que Dorina; ils parlaient tout bas; elle n'avait pas pu entendre ce qu'ils disaient, mais Dorina levait fréquemment la tête vers le ciel, comme si elle essayait de percer les profondeurs de la forêt pour atteindre le firmament.

« Ils étaient tout seuls? Liza réitéra sa question. Andronic n'était pas par hasard caché par là-bas?... »

Riri reprit ses explications. Elle se surprit à s'emporter en parlant, comme si elle tentait de laver Andronic d'une accusation sans fondement, et elle rougit.

« Que peuvent bien se raconter les amoureux? s'étonna Vladimir tout souriant. Allons le dire à Jorj, il s'en réjouira... »

Le capitaine Manuilà avait rencontré Dorina fortuitement, sans la chercher. Il était parti le dernier et s'était dirigé, après une brève hésitation, vers la clairière. Alors qu'il cheminait tête basse, songeur, il eut soudain honte de sa propre faiblesse; lui, un homme fait, obéir aux ordres d'un gamin. Si au moins il n'y avait rien de louche dans toute cette affaire...

Cet Andronic lui paraissait décidément bien bizarre. Cependant, ce qui le dérangeait le plus, c'était son apparition bruyante et fébrile, son imagination de jouvenceau habitué à perdre son temps avec le sport, les songes creux et les femmes : il leur avait enlevé à eux, à eux tous, le plaisir de se taire naïvement devant le mystère nocturne de la forêt. A présent, cette grande forêt endormie n'émouvait plus Manuilà. C'était comme un jardin public, où s'amusent des enfants et des adolescents... L'imagination d'Androniç avait neutralisé le mystère, et les ombres des arbres lui semblaient maintenant, à lui, le capitaine, tout juste propices à faire l'amour ou à dormir.

Il songeait à regagner le point de départ quand il entrevit, très près de lui, Dorina. Il l'avait reconnue à sa blouse à fleurs et à ses longues mains anxieuses.

« C'est vous, monsieur le capitaine? interrogea la jeune fille.

— Le hasard fait que ce soit moi, répondit Manuilà. Vous attendiez quelqu'un? »

C'était vrai, Dorina semblait être à l'affût. Elle avait choisi un endroit où elle pouvait regarder dans diverses directions à travers les troncs d'arbres, tandis qu'elle-même demeurait pratiquement invisible. Quand le capitaine l'interpella, elle se défendit avec trop d'insistance. Manuilà comprit et le sang lui monta brusquement au visage. Son dépit à l'égard d'Andronic s'accrut. En même temps son orgueil blessé le fit mépriser quelque peu cette jeune fille bêbête, qui croyait pouvoir si facilement lui donner le change, comme au premier venu.

« Je ne comprends pas grand-chose à ce

jeu-là, dit Manuilà, s'avisant du silence embarrassé de la jeune fille. J'ai l'impression qu'Andronic va subtiliser quelque chose et prendre la clef des champs... Le plus beau, c'est que tant de personnes aussi sérieuses se soient laissées tromper par lui, ajouta-t-il rapidement en voyant que Dorina voulait protester.

— Je ne crois pas que monsieur Andronic soit vraiment un escroc à la petite semaine », dit Dorina en se retenant.

Le capitaine se mit à rire et s'approcha davantage de la jeune fille. A présent, il n'avait plus l'impression d'avoir devant lui une éventuelle fiancée, une demoiselle bien élevée qu'il se devait de respecter, mais simplement l'une de ces filles innombrables rencontrées au fil de sa vie de garçon. Il la saisit par le bras et l'attira légèrement à lui.

« Laissez tomber, mademoiselle, il ne mérite pas d'être défendu par une fille aussi jolie que vous... »

Dorina fut surprise, pétrifiée par le brusque changement du capitaine. Quel genre d'homme était-il donc pour se permettre ainsi, avec tant de vulgarité ?

Elle craignit de crier. Le capitaine ne lui avait encore dit aucune insolence, et moins brusque, son geste n'aurait pas été si grave...

« Allons nous promener un peu », reprit Manuilà.

Dorina hésita, mais le capitaine la tira doucement plus près de lui.

« Vous avez des procédés plutôt étranges, monsieur le capitaine, se hasarda à dire Dorina.

— Imaginez que nous jouons aux gages, mademoiselle, répondit Manuilà en riant. Est-ce qu'on se fâche pour des gages?... Parfois, il est vrai, on a la malchance de tomber juste sur le cavalier qui ne nous plaît pas... »

Il prononça ces mots sur un ton tel que Dorina se sentit obligée de s'excuser.

« Ce n'est pas ce que j'ai voulu dire. J'avoue simplement que le timbre de votre voix m'a un peu effrayée...

— L'écho sans doute... N'est-ce pas qu'on n'a même pas l'impression d'être en forêt? » interrogea au bout d'un moment le capitaine, en lançant un regard à la ronde.

Dorina regarda elle aussi vers le haut, vers le ciel. C'était vrai, c'était si calme, si sûr...

« C'est comme si on était au Cismigiu *, reprit Manuilà.

— Non, plutôt à Sinaïa, dans le parc au-delà du monastère, précisa Dorina en souriant.

— C'est triste, non?... Quand on songe qu'on aurait pu pénétrer avec crainte dans

---

* Parc de Bucarest (n.d.t.).

la forêt et raconter des histoires de diables et de vampires...

— Oh, non, non, pas du tout! ça me fait peur! s'écria Dorina en minaudant.

— Je pourrais toujours servir à quelque chose, n'ayez crainte... De toute manière, nous aurions eu une soirée plus agréable si nous n'avions rencontré ce jeune homme... »

Dorina redevint morose. L'insistance de Manuilà l'agaçait. *Qui sait ce que ce malappris pense de moi...* En fait, quand elle l'avait aperçu, Dorina avait un instant espéré que ce fût Andronic. *C'eût été amusant de rencontrer Andronic toute seule. Peut-être, qui sait...* Maintenant encore, elle tourna la tête. Elle avait eu l'impression que quelqu'un la suivait, mais il n'y avait personne. Ils s'étaient sensiblement éloignés du reste du groupe.

« Vous croyez qu'ils font quoi, les autres? demanda Dorina pour changer de conversation.

— La même chose que nous. Ils parlent d'amour... » dit le capitaine avec une vulgarité voulue.

Dorina tressaillit, inquiète. *Et s'il se mettait à présent à me faire une déclaration? Ce serait ridicule... Et dire que cet homme-là, un jour, pourrait... Si seulement il était bête, comme Stere, qu'elle puisse au moins le mépriser...*

« Moi, du moins, c'est ce dont j'aime-

rais m'entretenir avec vous, reprit le capitaine. Mais sérieusement... Je ne sais ce
que peuvent bien faire les autres; pour ma
part, je voudrais vous demander sérieusement, amicalement, si vous me permettez,
enfin vous comprenez...

— Bien entendu! s'empressa d'acquies-
cer Dorina, rassérénée.

— Je voudrais vous demander ce que
vous en pensez : ces choses-là, l'amour
n'est-ce pas, c'est un hasard, une flamme
qui s'allume à l'improviste comme on
dit, ou bien c'est quelque chose qui
grandit laborieusement, après plusieurs
années de vie commune et d'amitié...
Votre opinion, bien entendu, m'inté-
resse...

— Vous savez, je ne m'y connais pas tellement en opinions personnelles, se
moqua Dorina. Mais peut-être pourrais-je
répondre d'un autre point de vue... Peut-
être pourrais-je vous dire que c'est quelque chose qui m'est inconnu encore, à
quoi j'ai songé parfois moi aussi, bien sûr,
comme à un idéal. »

Elle se mit à parler avec volubilité,
enflammée. Mais soudain, elle s'aperçut
qu'elle ne songeait plus à ce qu'elle disait,
qu'elle parlait presque à son insu, avec
d'autres souvenirs en tête, presque obsé-
dée par l'éclat d'un regard trouble... Elle
s'arrêta et regarda derechef le ciel, pour
se reprendre.

Elle pense à l'autre, comprit Manuilà, peiné.

Il sentait sa présence avec tant de précision qu'une onde exaspérée de jalousie colora ses joues et bloqua sa respiration.

« Oui, je comprends, fit-il en se maîtrisant.

— ... N'est-ce pas? Ce sont des choses si difficiles à définir... » s'excusa Dorina.

Ils continuèrent de cheminer côte à côte. C'est à lui, à l'autre, qu'elle ne cesse de penser, sentait le capitaine.

« Quelle heure peut-il bien être? demanda subitement Dorina, comme se rappelant une chose urgente à faire. Et si nous rebroussions chemin?... »

VII

Il était dix heures passées, et la famille Zamfiresco commençait à perdre patience. Ils étaient restés dans la cour sur un banc devant le parloir.

« Sachez que c'est exactement comme je vous l'ai dit, déclara Mme Zamfiresco. Ils veulent caser Dorina... »

Humiliée par la tournure que prenait la conversation, mademoiselle Zamfiresco se leva et se dirigea vers le lac.

« Je vais voir s'ils arrivent, dit-elle.

— Et moi, je devine qui a arrangé toute cette affaire, poursuivit Mme Zamfiresco. Tout cela s'est fait à Bucarest, en secret, sans que nous n'en sachions rien... Comme s'ils avaient peur qu'on leur vole leur gendre... »

Elle se força à rire, mais ne parvenait pas à maîtriser son énervement. Si au moins Liza revenait un peu plus tôt, elle pourrait en savoir davantage...

« Tu as faim? interrogea M. Zamfiresco.

Si nous ne les attendions plus et nous mettions à table? »

Mme Zamfiresco saisit au vol l'occasion de donner libre cours à son agacement.

« Mon Dieu, mon pauvre ami, on s'est levé de table à quatre heures passées. Et tu as mangé, grâce à Dieu... »

M. Zamfiresco se retourna d'un bloc vers sa femme, prêt à la dispute. Sur ces entrefaites cependant, mademoiselle Zamfiresco revint en courant vers eux, en leur faisant des signes de la main.

« Ils reviennent! s'écria-t-elle joyeusement. J'ai entendu leurs voix près du lac... Ils sont vraiment en charmante compagnie!... »

Elle regrettait maintenant de ne pas être allée avec eux en forêt. Peut-être avaient-ils joué à des jeux de société, ou bien avaient-ils chanté en chœur. S'ils étaient resté si longtemps...

« Heureusement qu'ils sont revenus, dit M. Zamfiresco regaillardi. J'espère que vous n'allez pas vous mettre à jouer aux cartes tout de suite après le dîner... »

Boudeuse, Mme Zamfiresco se leva et s'approcha de sa fille.

« Fais attention, ne leur dis pas que nous les avons attendus pour souper, murmura-t-elle. Qu'ils n'aillent pas s'imaginer qu'ils nous manquaient... Voyons d'abord s'ils nous invitent... »

Les voix se distinguaient maintenant

assez clairement. Pourtant, le groupe semblait avancer lentement, car durant un
certain temps, on ne vit personne. Ils
n'arrêtaient pas de rire. Mme Zamfiresco
prépara elle aussi son sourire. Elle revint
vers le banc et parlait haut, essayant
d'égayer son petit groupe. Qu'ils n'aillent
pas croire que nous nous sommes em-
bêtés seuls ici, à les attendre pour nous
amuser...

« Et la lune, elle se lève quand, Horicà?
demanda-t-elle, câline, à M. Zamfiresco.

— Vers minuit, répondit l'homme, les
yeux au ciel.

— Moi, vous ne m'avez pas eu, entendit-
on la voix de Stere, car je suis resté avec
Jorj à l'abri, je n'ai pas couru la forêt
comme vous...

— Mais avouez quand même, n'était-ce
point charmant? » interrogea Andronic en
riant.

C'était un rire qui ne pouvait provoquer
la colère. Un rire jeune, sincère, comme
bouillonnant d'une orgueilleuse virilité.
Mme Zamfiresco se mit à sourire, bien
que les autres fussent encore à quelques
mètres d'elle.

« Dans le fond, c'est moi qui me suis
fait avoir, continua Andronic, puisque
mon plan n'a pas réussi...

— Mais pourquoi ne voulez-vous pas
nous dire quel était votre plan? insista
Liza.

— Je ne peux pas, s'excusa Andronic,
parce que je n'y ai pas encore renoncé...
Je me suis un peu perdu dans la forêt, et
je ne suis pas arrivé à temps; c'est tout...
Sinon, vous seriez encore dans les bois...

— Je meurs de curiosité! dit Liza.

— Soyez sans crainte, madame, la rassura Andronic. Le jeu continue, même à
notre insu... »

Les groupes se retrouvèrent et Mme Solomon raconta aux autres sa course dans
la forêt.

« C'était sublime! s'exclama-t-elle. Quel
calme et quel air pur!

— Ne vous l'avais-je pas dit? » interrompit Mme Zamfiresco.

Ils parlaient tous à la fois, pleins d'entrain. Stamate lui-même était à présent
plus alerte, il risquait même de temps à
autre une plaisanterie. Les baisers de Liza
lui avaient donné du courage.

« Sachez que quand la lune sera levée,
on retournera dans la forêt, dit-il.

— Moi pas, se défendit Stere. Que la
jeunesse y aille. »

Mme Zamfiresco se mit à rire bruyamment. Ainsi, on pouvait compter sur
Stere, et probablement aussi sur Solomon. Un bon poker après dîner, à l'écart
dans une chambre réservée aux visites...

« Qui prépare la table? demanda M. Solomon. On a sorti les paniers de la voiture? »

Riri, Liza et Mme Solomon s'en furent mettre la table.

Mme Zamfiresco aurait bien aimé aller leur prêter main forte, mais elle remarqua que Dorina ne bougeait pas. Il valait mieux qu'elle reste elle aussi. Il y a tant de jeunes qui plaisantent et qui rient — mieux vaut rester ici...

« Qui vient avec moi à la cave pour acheter du vin? » demanda de nouveau M. Solomon.

Presque tous les hommes souhaitaient voir les celliers du monastère. Andronic et Vladimir se montraient particulièrement impatients.

« Sachez seulement que nous apporterons le vin dans des chaudrons, leur expliqua M. Solomon, flatté de l'attention qu'éveillait chacune de ses propositions.

— Dans des seaux ou des chaudrons, précisa M. Zamfiresco. Demandez qu'il vous donne de ce vin, vous savez, le vermeil, il est fameux... Il y a aussi un muscat, mais il monte trop vite à la tête...

— Il est trop lourd, intervint Mme Zamfiresco. Stere, quel est celui que nous avons dans la voiture?

— Le même.

— Alors, il ne faut pas les mélanger, dit Stere. N'oubliez pas non plus de demander du fromage. Ils font un de ces fromages blancs, une vraie merveille, vrai de vrai! »

Le groupe partit à la recherche du moine sommelier. Quand ils s'étaient mis à parler tous à la fois, ils avaient certes vu des ombres de moines devant les cellules : ils étaient sortis pour voir d'où venaient toutes ces voix, mais du sommelier nulle trace; celui-là, M. Solomon le connaissait. C'était un moine très maigre et très grand, à la barbe rare, bouffée aux mites, ajouta M. Solomon, et il parle par le nez. Puis il commença de nasiller, comme le sommelier.

Stamate et le capitaine Manuilà se mirent à rire.

« Mais où est donc Andronic? interrogea soudain M. Solomon, remarquant la disparition du jeune homme.

— Il a dû aller chercher ses amis, dit Vladimir.

— Sans blague! Vous croyez vraiment à cette histoire d'amis? commenta le capitaine en un murmure ironique.

— Chut! Taisez-vous, il pourrait nous entendre, intervint Stamate. Ce n'est pas beau de dire du mal de lui quand il n'est pas là...

— C'est bien ce que je disais, dit M. Solomon. Il me semble être un garçon de bonne famille, dommage seulement qu'il soit tapageur et un peu exalté », ajouta-t-il pour mettre tout le monde d'accord.

Ils trouvèrent le sommelier et demandèrent vingt litres de vin vermeil. Le moine prit deux grands seaux et un chaudron, puis leur indiqua le chemin.

« Puissiez-vous le boire jusqu'à la dernière goutte », marmonna-t-il sans détourner le regard.

Le sommelier s'arrêta devant la porte de bois cloutée, chercha la clef et ouvrit lentement, avec soin. Il alluma ensuite une bougie et empoigna le chaudron de la main gauche. Il laissa les seaux à Vladimir.

« Attention de ne pas faire un faux pas, les marches sont plutôt usées », les avertit-il.

Ils avançaient attentivement, non sans une certaine émotion. La voûte du cellier était profonde et s'élargissait à mesure qu'ils y pénétraient. Vladimir frissonnait, à la fois de froid et de l'humidité qui régnaient ici, du mystère de ces vieux murs, et du jeu des ombres à la flamme des bougies.

« Qui sait ce qui a bien pu se passer par ici, dit-il pris de vertige.

— C'est à cela que je pensais moi aussi, dit le capitaine. Comme si quelque chose pesait... Pourtant, aujourd'hui, c'est simplement un abri pour les fûts à vin du monastère... »

Stamate contemplait les murs du cellier, émerveillé.

« Donnez-nous s'il vous plaît aussi un peu de bon fromage », dit M. Solomon.

Le moine laissa couler le vin dans le seau. Il glougloutait, répandant une odeur embaumée et forte. Vladimir avait les yeux rivés sur le bouillonnement pourpre au-dessus du seau. Le vin déborda un peu, glissant dans le chaudron.

« C'est le meilleur vin de la région », déclara Andronic.

Ils tressaillirent tous et se retournèrent, effrayés.

« Mais comment donc êtes-vous arrivé, jeune homme, que personne ne vous ait entendu? » demanda gaiement M. Solomon.

Andronic montra le chemin.

« Par là, répondit-il tranquillement. Je vous ai perdu dans la cour, alors je suis venu directement au cellier. Ce n'est pas la première fois que je viens ici, poursuivit-il en souriant. Ce que j'ai déjà pu en boire, de ces chaudrons de vin... »

Le moine leva les yeux pour mieux voir ses traits. A la flamme de la bougie, ils avaient tous des visages pâles, ravinés, aux ombres profondes.

« N'est-ce pas que vous me reconnaissez, mon père? lui demanda Andronic en passant la main dans ses cheveux.

— Bien des messieurs viennent au monastère, répondit le moine en baissant les yeux. Je n'ai pas beaucoup de mémoire.

— Mais moi, vous me connaissez? »,

reprit Andronic encore plus bas, comme s'il voulait que seul le moine puisse l'entendre.

Il se retourna brusquement vers les autres et d'un geste de la main, il embrassa la voûte.

« Je connais bien tous ces murs, comme si j'avais vécu ici depuis l'aube des temps... Parfois, il me semble rêver, tant il y a de choses dont je me souviens. Qui donc a bien pu me les dire, qui me les aurait montrées?... C'est comme si j'étais né en même temps que le monastère... »

M. Solomon se mit à rire. Il souleva l'un des seaux pleins et le soupesa, content.

« Vous parlez comme les livres, s'adressa-t-il à Andronic. Comme dans ces histoires de gens qui s'imaginent qu'ils ont déjà vécu autrefois, dans une autre vie...

— Non, l'interrompit très simplement Andronic. Il ne me semble pas avoir vécu une fois, il y a longtemps, une *autre* vie. Je sens que j'ai vécu ici *constamment*, depuis les origines du monastère...

— Ben, cela fait plus de cent ans, fit le moine sans se montrer surpris outre mesure.

— Cela fait bien plus encore que ne l'estime Votre Révérence », le reprit Andronic en souriant.

Vladimir regardait avec une manière de

timidité le sombre visage d'Andronic.
Peut-être la froidure du cellier, la buée du
vin ou encore les ombres ondoyantes jail-
lies du palpitement de la bougie avaient-
elles modifié en quelques secondes son
attitude intérieure. Il lui semblait qu'Andronic ricanait en se moquant d'eux avec
son histoire. Il lui semblait voir son
regard courir de l'un à l'autre, et son
visage morose, pourtant prêt à tout instant à éclater de rire. Comment les autres
ne remarquaient-ils pas qu'Andronic plai-
santait, ou qu'il rêvait éveillé, pareil à un
homme enivré de vin?

« Nous payons rubis sur l'ongle, royale-
ment, et nous partons », dit M. Solomon
en comptant l'argent.

Le capitaine Manuilà ne disait plus rien
lui non plus, presque perdu dans l'obscurité. Andronic le ranima en lui montrant
une nouvelle fois les murs.

« Je crois que personne ne sait plus
aujourd'hui, dit-il, que c'est ici qu'a péri
la véritable fille des Moruzesti, sa fille de
sang, pas l'autre, celle qui avait été adop-
tée après son second mariage... »

Le moine leva les yeux, effrayé, et se
signa rapidement en cachette. Andronic fit
mine de n'avoir rien vu et poursuivit, le
regard rivé sur Manuilà :

« Moi non plus je ne saurais dire d'où
je le sais, mais ce fut ainsi. C'est ici
qu'elle est morte, Arghira, « la belle au

teint de lait » comme on lui disait alors
par ici pour se moquer...

— De quoi est-elle morte? interrogea
Vladimir à mi-voix.

— Elle avait été emmenée ici de force et
sans que le vieux le sache... D'aucuns
prétendent même que l'abbé l'ignorait. A
l'époque, les femmes ne pénétraient guère
dans des monastères d'hommes. Ils l'ont
emmenée une nuit, et comme on ne sait
pas très bien pourquoi elle est morte subitement, on ne sait pas très bien non
plus comment elle est morte. Ils voulaient
s'en défaire, car il était déjà question en
cette année-là du second mariage du
vieux, et l'autre fille attendait... Et elle
est morte, Arghira, la troisième nuit. Ici,
juste à cet endroit... »

Andronic tourna la tête et d'un geste,
embrassa les lieux.

« Vous dites parfois une messe pour
elle, mon père? » interrogea-t-il brusquement le moine.

Le sommelier hocha la tête en signe de
dénégation. Il venait d'entendre cette histoire pour la première fois, et elle lui
paraissait mensongère et impie. Une fille
de boyard morte juste dans les caves du
monastère — cela lui semblait incroyable.

« Allons-y, on dirait qu'il commence à
faire froid », dit M. Solomon.

Ils s'en furent. Ils frissonnaient tous, de
la fraîcheur de la voûte et de ce souvenir

lugubre intempestivement évoqué par Andronic.

« Qu'est-ce qui vous a pris de nous faire peur avec cette histoire? » lui demanda M. Solomon une fois qu'ils se retrouvèrent dehors.

Andronic se mit à rire.

« Je plaisante parfois de la sorte, pour taquiner les gens qui me sont sympathiques, dit-il sur un autre ton. Mais n'est-ce pas une triste histoire? »

La nuit paraissait chaude maintenant, après la fraîcheur de la cave. On voyait une bonne partie du firmament, entre les arbres et les cellules. La cour semblait illuminée par une lune cachée tout près.

« Quelle splendeur! s'écria M. Solomon, en regardant vers le haut et s'émerveillant devant tant d'étoiles. Il s'était arrêté au milieu de la cour, un seau de vin à la main. Andronic profita de l'occasion, s'approcha de lui et lui murmura de façon à ce que les autres n'entendissent point :

— Je vous en prie, n'allez pas raconter cette histoire de la demoiselle aux dames. Cela gâcherait leur plaisir... »

M. Solomon cligna malicieusement de l'œil. Pourtant, un instant plus tard, après avoir jeté un regard profond à Andronic, il n'avait plus tellement envie de plaisanter. Ses yeux avaient un éclat métallique, morne, vertigineux.

« Vous êtes diabolique! » s'exclama-t-il en faisant un grand effort.

C'était vrai, à proximité du jeune homme, il s'était senti soudain vidé. Une kyrielle de bêtises défila alors dans sa tête. Et si Andronic était l'un de ces jeteurs de sorts, l'un de ceux qui glissent des herbes à dormir dans le vin et ensuite, pillent les gens...

Il emboîta le pas aux autres, un doute au cœur.

« Vous avez soif? interrogea-t-il au bout d'un moment en s'arrêtant. Si nous buvions un peu... »

Andronic cilla à son tour, narquois, et saisissant le seau des mains de M. Solomon, il l'approcha attentivement de ses lèvres. Il se mit à boire goulûment, avec avidité, avalant comme en rêve. M. Solomon avait peine à en croire ses yeux. Cependant, ce geste de preux le rassura. Il toucha légèrement l'épaule d'Andronic.

« Eh, dites donc, laissez-en aussi un peu pour les autres...

— *Surtout*! » répondit Andronic, à la fois taquin et mystérieux, après avoir éloigné le seau de sa bouche.

Ils repartirent d'un bon pas, pour rattraper leurs compagnons.

VIII

Le dîner touchait à sa fin. Minuit approchait et les jeunes gens étaient impatients de se lever de table pour passer dans une pièce voisine. Là-bas, ils pourraient bavarder plus librement, imaginer d'autres jeux et peut-être même danser. Mme Solomon avait rappelé en passant qu'elle avait pris soin d'emmener le gramophone de Vladimir. En disposant éventuellement un mouchoir dans le haut-parleur, on ne l'entendrait pas du dehors. D'ailleurs, avait-elle ajouté, à cette heure-ci, tous les moines dorment.

Le repas n'avait été frugal qu'en apparence; peu d'assiettes, des serviettes en papier et des verres dépareillés. Pour le reste, Mme Solomon et Mme Zamfiresco avaient recouvert la table de viandes froides, de charcuterie, de sardines, de fromages et de fruits. Elles avaient choisi exprès cette pièce comme salle à manger, laissant les autres — plus vastes et plus propres — pour y organiser des jeux et danser. Tout le monde savait que ce « buffet froid » — comme disait Mme Zamfiresco — n'allait pas durer trop longtemps, et personne n'avait envie de disperser assiettes et verres dans les autres chambres. Pour plus tard, deux pièces étaient réservées au repos des dames. Elles y avaient déposé leurs trousses de voyage, leurs vêtements et leurs paquets. Les lits allaient être l'un à côté de l'autre pour des raisons de commodité. Mme Solomon elle-même avait annoncé qu'elle restait, en dépit des moustiques dont elle avait immédiatement ressenti la présence.

Vladimir fut le premier à donner le signal en se levant. Il avait pas mal bu et maintenant, il était plein de courage et d'un entrain irrépressible. A table, il était assis entre Mme Solomon et Mme Zamfiresco et s'était senti sollicité par toutes les deux; chacune voulait lui dire un secret à l'oreille, rapprochant très près sa poitrine et son épaule. D'ailleurs, le dîner avait été très libre. Le vin conventuel avait échauffé tout le monde, jusqu'à ceux du groupe Zamfiresco, pourtant moins familiers.

« Allons voir si la lune s'est levée, proposa Vladimir en repoussant sa chaise et en prenant Mme Zamfiresco par le bras.

— Et si nous faisions maintenant une promenade en barque? » interrogea quelqu'un.

Le brouhaha des chaises éloignées de la table, les remerciements adressés à l'hôtesse, les rires et les paroles mêlés noyèrent la réponse. Ils se dirigèrent tous ensemble vers la grande chambre du milieu. M. Solomon s'était mis en devoir de compter les amateurs d'un autre café, quand il aperçut Andronic tout pâle, les yeux rivés sur la porte. Depuis qu'il s'était levé de table, Andronic n'avait plus dit un mot. Il semblait préoccupé, nerveux, furetant des yeux dans tous les recoins.

« Vous ne vous sentez pas bien? » lui demanda M. Solomon.

Liza et Riri se rapprochèrent sur-le-champ d'Andronic, inquiètes. Elles avaient entendu la question de M. Solomon; c'était une bonne occasion de faire preuve d'attention envers ce jeune homme enchanteur, qui avait tellement brillé par sa spontanéité durant le repas.

« Et si vous preniez encore un café? » lui fit Liza, heureuse de pouvoir l'avoir de nouveau sous son aile protectrice.

A table, elle avait été assise à côté de lui. Elle s'était reprise à espérer, même si Andronic ne s'était pas permis le moindre geste de familiarité indue.

« Je n'ai rien, sourit Andronic avec froideur. C'est autre chose qui me trouble. Si je vous le dis, vous allez rire de moi...

— Je vous le jure!... » commença passionnément Liza.

Andronic l'interrompit correctement,
d'un geste de la main.

« N'exagérons rien, dit-il. C'est presque
une vétille. Mais une vétille qui pourrait
agacer quelqu'un parmi vous.

— Que s'est-il passé? interrogea à son
tour Mme Zamfiresco, se rapprochant
avec Mme Solomon et Vladimir.

— Rien pour l'instant, expliqua Andronic. Mais quelque chose va se passer très
bientôt... Pourriez-vous faire silence quelques secondes? » interrogea-t-il.

Dans la salle à manger, Stere bavardait
à voix haute avec M. Zamfiresco et le capitaine Manuilà. Près de la porte, il y avait
également un groupe bruyant : Stamate et
les autres.

« Qu'est-ce qu'il y a, que se passe-t-il? »
demanda quelqu'un.

Ils s'agglutinèrent tous autour d'Andronic. Le silence s'installa peu à peu.

« Mieux vaut vous le dire ouvertement,
murmura Andronic. Il y a un serpent à
proximité... »

Les dames piaillèrent toutes à la fois.

« Pourquoi leur faire peur avec ce genre de plaisanterie? demanda le capitaine Manuilà d'un ton légèrement irrité.

— Je ne leur fait pas du tout peur, répliqua Andronic calmement. Il y a un serpent tout près de nous... »

On entendit de nouveau des cris, des

rires effrayés. Mais Andronic poursuivit
sans en tenir compte :

« Il viendra ici, après notre départ au
jardin ou peut-être plus tard, quand nous
serons couchés...

— Que Dieu nous garde! » s'exclama
Mme Zamfiresco en se signant.

Andronic fronça les sourcils et baissa la
tête.

« Je vous demande, reprit-il au bout
d'un moment, s'il ne vaudrait pas mieux
l'attraper dès maintenant? »

Tout le monde se taisait, comme soudainement pétrifié par les paroles inatten-
dues d'Andronic. Était-ce une plaisanterie? Ce jeune drôle allait-il leur jouer un
nouveau tour à sa façon?...

« Mais comment l'attraper? interrogea
le capitaine après une longue attente, se
forçant à sourire.

— Je m'en charge, moi, dit Andronic.
Mais il faut faire vite... »

Un frisson de panique et de curiosité les
parcourut.

« D'abord, je vous prie de rester tranquilles, ordonna Andronic. Et de vous col-
ler au mur... Comme ça! »

Il s'approcha de M. Solomon et le
poussa légèrement vers la porte, comme
s'il lui cherchait un endroit précis, au plus
près du mur. M. Solomon se laissa faire
sans la moindre résistance. Il avait senti
une vague de sang chaud se précipiter

vers son cœur dès qu'Andronic eut posé
ses mains sur ses épaules. Il demeura à
l'endroit indiqué, sans force, sans même
pouvoir sourire, en attente.

« Je vous en prie, collez-vous tous au
mur, ordonna une nouvelle fois Andronic
d'une voix ferme et puissante. Le plus
près du mur... Et surtout, ne bougez pas,
quoi qu'il arrive, souligna-t-il en prome-
nant son regard de l'un à l'autre. Rien de
grave ne va arriver à personne d'entre
vous ce soir... Mais si vous bougez ou
vous criez, c'est moi que vous gênerez et
vous me donnerez trop de travail... »

Tout en échangeant des regards trou-
blés et hébétés, l'un après l'autre les invités se collèrent au mur. Seul le capitaine
Manuilà continuait de sourire, sceptique.

« C'est comme si nous nous préparions
pour un tour de passe-passe, dit-il à voix
assez haute.

— C'est un tour de passe-passe, en un
sens, lui répondit Andronic sans se
fâcher. Mais mieux vaut le faire pendant
qu'il est encore temps...

— Mais dites-moi, monsieur, il est où,
ce serpent? explosa le capitaine. Si vous
savez où il se trouve, allons le tuer tout de
suite et finissons-en...

— Il est là? demanda Liza, frémissante.

— Je ne sais pas où il est maintenant,
répondit Andronic renfrogné. Mais si
vous ne voulez pas... »

Il planta ses mains dans les poches de sa veste et les regarda l'un après l'autre.

« Je ne peux pas vous aider contre votre gré, ajouta-t-il en souriant.

— Mais pourquoi devons-nous rester collés au mur sans bouger? interrogea Stamate pour montrer aux autres que lui, il n'avait pas peur.

— Pour ne pas lui faire peur, expliqua Andronic. Moi, je l'appellerai, et il viendra, tranquillement...

— Vous allez le faire venir ici, dans la maison? s'écria Mme Solomon.

— Vous connaissez donc une incantation? interrogea le capitaine, railleur. Ou peut-être nous refaites-vous le coup de la forêt... »

Les dames souhaitaient cependant voir Andronic à l'œuvre. Quoi qu'il en soit, même si c'était une plaisanterie, si pour Andronic c'était l'occasion de faire quelque chose d'intéressant, qu'il commence sans plus tarder.

« Et nous allons rester longtemps comme ça, sans bouger, monsieur? » demanda Stere.

Le charme des premières injonctions d'Andronic paraissait commencer à ne plus opérer. Tout le monde bougeait, se parlait — sans oser pourtant s'éloigner du mur. Ils regardaient souvent à leurs pieds, comme s'ils craignaient de voir brusquement surgir le serpent juste sous leurs yeux.

Andronic avait remis les mains dans ses poches, énervé. Une dernière fois, il essaya d'obtenir une totale obéissance.

« Ce n'est maintenant le temps ni de vous dire comment j'ai su qu'il y avait un serpent, ni comment j'ai appris à l'évoquer... Je vous le dirai après. Je vous avais dit d'emblée que vous alliez vous moquer de moi, ajouta-t-il d'un ton agacé.

— On ne se moquera pas! » promit Liza presque joyeuse.

Elle jeta un coup d'œil vers le coin où se trouvait M. Solomon et fut subitement prise d'une inquiétude stupide. Il lui sembla que M. Solomon n'entendait plus rien de ce qui se disait dans la pièce. Il était resté comme pétrifié depuis qu'Andronic l'avait plaqué là-bas, en expectative. Liza chercha rapidement le regard de Mme Solomon. Elle n'avait rien remarqué. Peut-être est-ce une impression, se dit Liza pour se rassurer.

Andronic regarda tranquillement sa montre.

« Vous avez une minute pour vous calmer, déclara-t-il; sinon, je vous demanderai pardon de vous avoir dérangés et je m'en irai... C'est tout ce que j'avais à vous dire... »

Les paroles d'Andronic les frappèrent tous de plein fouet. Ainsi donc, il parlait sérieusement... Quelques instants durant, personne ne sut ce qu'il convenait de faire, s'il fallait l'assurer qu'ils resteraient tranquilles, ou s'il fallait se faire l'un l'autre des signes pour faire taire tout le monde.

« Bon, murmura Andronic. Je vous prie de demeurer comme vous êtes... »

Il se rembrunit de nouveau, et parut blêmir encore davantage. Hésitant, il fit un pas dans la chambre, puis se dirigea rapidement vers le fond et éteignit une lampe, baissant ensuite la mèche des autres.

« Il y avait trop de lumière, chuchota-t-il. Il ne faut pas lui faire peur... »

Puis il revint à la porte et l'ouvrit toute grande. Il accomplissait tous ces gestes sans jeter le moindre regard aux autres, comme s'il était seul et s'apprêtait à recevoir quelqu'un. On entendait la respiration des autres, pesante et malaisément maîtrisée.

« Une fois encore, je vous en prie, ne bougez pas quoi qu'il arrive... Pour votre bien... »

Il s'était adressé à eux comme à des gens d'ailleurs, d'une autre pièce, sans lever les yeux sur quiconque. Il continuait de se promener à grands pas, mécontent semblait-il de la disposition des objets dans la chambre. Il emporta une chaise trop au milieu du chemin, dans la salle à manger. Puis il s'arrêta brusquement au beau milieu de la pièce; il se frotta le front, regarda à terre et se décida; il posa un genou sur le sol, les deux mains reposant sur l'autre.

La farce commence! se dit en lui-même le capitaine, irrité par tous ces préparatifs cabotins.

Il n'osa cependant rien dire à haute voix. Il regarda ses compagnons. Stamate attendait, tout étonné, comme un homme disposé à croire tout ce qui arriverait devant lui. Les jeunes filles semblaient plutôt effrayées, mais curieuses en même temps. Seule Mme Zamfiresco était terrorisée et M. Solomon — immobile. Combien va durer cette comédie? s'interrogea derechef le capitaine. Si seulement c'était une bonne plaisanterie, que tout le monde rie de bon cœur... Il remarqua en cet instant que, dans la position grotesque qu'il avait choisie, Andronic murmurait quelque chose. Le capitaine s'évertua à saisir le sens de ses paroles. C'étaient des syllabes étranges. Comme s'il ne parlait pas roumain. Des mots avec beaucoup de voyelles, longs, étirés. Et pourtant, Andronic disait quand même quelque chose, car à plusieurs reprises, il perçut le mot *sarpa*. Une incantation sans doute... Ou plutôt une farce... Un léger vertige saisit à son tour le capitaine Manuilà quand, d'un regard circulaire, il entrevit les autres silencieux, somnolents, pareils à des visages de cire.

IX

Quelques minutes à peine étaient passées, mais Manuilà avait l'impression
qu'un temps infiniment plus long s'était
écoulé. Il s'évertuait à demeurer sur ses
gardes, car lui aussi était sporadiquement
transpercé par une torpeur inconnue et
ses paupières s'alourdissaient désagréa-
blement. Brusquement, il lui sembla que
quelque chose se modifiait dans la pièce.
Il serra les poings. La semi-obscurité
paraissait se scinder en deux grands fais-
ceaux, ménageant en son milieu un tapis
d'argent. Cachée peut-être depuis longtemps derrière la nuée, la lune descendit
alors dans la pièce, sans le moindre étonnement.

Comme une mèche d'argent! se souvint
Liza, somnolente. Ces mots lui revinrent
en mémoire alors qu'elle contemplait elle
aussi les lambeaux de lumière qui se
nouaient doucement sur le sol. Ses pensées et ses mélancolies d'autrefois, de son

enfance au boulevard Pache lui semblaient si proches qu'elle avait le sentiment de s'en être à peine séparée. Qu'ai-je
donc fait tout ce temps-là? Quand ai-je eu
le temps de devenir si grande, sans que je
le sache, sans que personne ne m'en aver-
tisse?

Andronic ne chuchotait plus rien. Lui
aussi attendait. La lumière de la lune se
rapprochait de ses talons. Si c'était un
sortilège qui commençait?... Dorina avait
les yeux rivés sur lui, comme si elle ne
pouvait se persuader d'être pleinement
éveillée. Quoi qu'il arrive, rien ne pouvait
plus maintenant la surprendre. Comme
dans un rêve, toute rencontre, toute
absurdité lui paraissaient naturelles. Personne ne pouvait l'atteindre, personne ne
pouvait lui faire le moindre mal — comme
dans un rêve...

Et le serpent était entré si naturellement
dans la pièce, se glissant entre leurs pieds,
que personne ne s'en était effrayé. Rien
qu'un vide très profond, au creux de la
poitrine, rien de plus.

C'était un grand serpent gris, qui avançait prudemment, comme s'il se dégour-
dissait les anneaux. Il se traînait lourdement, relevant légèrement la tête et
l'abaissant rapidement vers le sol, comme
à la recherche d'une trace.

Quand il s'approcha du lac de lumière,
il s'immobilisa un instant, ébloui. Puis il

se dirigea en oscillant vers Andronic.
C'était comme si la lumière de la lune
l'avait lui aussi ensorcelé, car il rampait
à présent avec une grâce somnolente, et
chaque reptation faisait frisonner ses
écailles enténébrées. Dorina eut l'impression que le serpent venait directement à
elle, et une terreur subite remplaça le
charme de naguère. Comme si elle s'éveillait soudain devant une chose impossible
à regarder, une chose terrible et péril-
leuse, qu'une jeune fille n'avait pas le
droit de voir. L'approche du serpent semblait aspirer sa respiration, éparpiller le
sang dans ses veines, embraser sa chair
tout entière d'une terreur teintée de frissons inconnus, d'un amour malade. Il y
avait un insolite mélange de mort et de
souffle érotique dans cette oscillation hideuse, dans la froide luminosité du reptile.

« Allez, plus vite! » Dorina entendit les
paroles d'Andronic, comme venues de
très loin.

Qui donc appelait-il d'un tel ton de
commandement? Le sang remonta aux
joues de la jeune fille, comme si elle avait
écouté un mot trop mystérieux, interdit.
La terreur et le dégoût la grisaient avec
autant de force que luttaient dans son
sang la pudeur et le désir prohibé.

« Où t'es-tu tellement attardé? » une
nouvelle fois on entendit la voix étouffée
d'Andronic.

Le serpent s'était approché très près
d'Andronic et semblait à présent lutter
contre sa propre timidité, sans oser poser
sa tête sur la paume ouverte que lui tendait le jeune homme. Il était là, frisson-
nant, dans l'expectative; seule sa tête
oscillait sans cesse, comme s'il tentait de
s'arracher à un charme.

« Allez, viens ici! » lui ordonna Andronic.

Liza ferma les yeux et plaqua ses coudes au mur; à tout moment, elle pouvait
glisser sans connaissance. Elle vit le serpent grimper dans la paume d'Andronic,
et ce fut comme si elle avait elle-même
ressenti cette froidure ainsi que l'épouvante de l'attouchement, comme si cette
flèche de chair irréelle l'avait pénétrée
elle-même trop profondément.

« C'est ça, plus près! » s'exclama Andronic.

Dorina regardait de nouveau, chavirée
et exsangue; aucune puissance humaine
ne pouvait désormais l'arracher à ce cercle invisible qui la liait maintenant à
Andronic. Le serpent monta nonchalamment sur la main, puis sur le bras d'Andronic, jusqu'à toucher son cou de sa tête
frémissante. Le jeune homme la prit alors
dans sa main droite et la tint serrée dans
son poing, le regardant droit dans les
yeux.

« Pourquoi es-tu si abattu? » interrogea-
t-il en souriant.

Manuilà commença à s'éveiller; il vit le serpent dans la main d'Andronic, mais le fait ressemblait tellement au rêve dont il venait à peine de sortir qu'il n'en fut même pas étonné. Il contemplait la chambre de ses yeux grands ouverts. Aucun des visages pâles qu'il aperçut autour et devant lui ne l'inquiéta. Tout était exactement pareil, pareil à ce rêve vertigineux et maladif, avec cette promenade sur le lac et le *Mystère de Jésus* que Vladimir lisait à haute voix, la main droite brandie en l'air. Et tout à coup, la barque avait coulé, exactement comme l'avait raconté Andronic au bord du lac, elle avait coulé au beau milieu de l'eau, sans le moindre soubresaut, glissant à pic jusque dans les profondeurs, comme lestée de plomb...

« Quelqu'un a tué ta compagne et tu es demeuré seul, tout esseulé! » dit Andronic, comme s'il avait entendu le murmure du serpent.

Liza ouvrit les yeux et ressentit le même tressaillement profond qu'au début. Le serpent se mouvait près du visage d'Andronic, et tous ses élans frissonnants avaient, dans le ressentir de Liza, une autre signification — terrifiante. Un charme affolant émanait des paroles d'Andronic, du jeu du serpent.

« Tu voulais mordre quelqu'un ici? demanda Andronic à son compagnon. Tu voulais te venger?... Tu ne vois donc pas que ce sont tous de bonnes gens, et il y a tant de si jolies demoiselles », ajouta-t-il en souriant, sans détacher son regard des yeux du serpent.

Dorina s'empourpra à nouveau et son cœur se mit à battre avec force. Ses pensées jaillissaient à présent sans timidité, ses pensées comme ses désirs. C'était d'elle qu'avait parlé Andronic, sans nul doute, en disant « de jolies demoiselles », c'était elle qui avait été choisie par Andronic...

« Tu es venu au mariage? interrogea Andronic étonné. Tu sentais donc qu'il y avait une noce ici? »

Le capitaine Manuilà rougit brusquement; même si c'était exactement comme dans son rêve, ces choses-là ne sont pas à dire devant tout le monde. Il tourna les yeux vers Dorina et la regarda du coin de l'œil. La jeune fille était pétrifiée, pâle, les lèvres frémissantes. Pour elle, le voyage venait tout juste de commencer. La barque les attendait au même endroit, eux deux, pour partir sur l'eau. Avec Andronic auprès d'elle, pendue à son bras, elle ne sentait plus rien, pas même la joie. Maintenant, ils allaient quitter le rivage et demeurer enlacés dans l'embarcation, peut-être serrés l'un contre l'autre tout au fond, comme dans un nid. Le deuxième! entendit-elle alors la voix de Stere, et elle voulut s'élancer. Mais un poids invisible

la figeait sur place, pendue au bras d'Andronic. Allez, cours! entendit-on une nouvelle fois la voix de Stere, à peine un peu
plus autoritaire. Tu vas perdre ton gage!
lui dit quelqu'un à côté, en riant. Mais
Dorina savait à présent ce que cela
signifiait, et elle baissa les yeux. C'étaient
les noces, elle savait à quoi s'attendre...
Cependant, pourquoi ne pouvait-elle
s'arracher au rivage, pourquoi ne pouvait-
elle ni bouger, ni courir?... Cours! Cours!
entendit-elle encore une fois des voix
monter dans son dos. Andronic ne voulait
pas se décider, son gage ne lui plaisait
pas?...

« Alors, dis-moi donc qui sont le promis
et la promise? questionna encore Andronic d'un ton badin. Quelle demoiselle
choisirais-tu, toi, animal maudit demeuré
sans compagne? »

Bien entendu, se dit Liza, Andronic
pose la question au serpent en guise de
plaisanterie. C'est à elle qu'il pensait en
parlant des si jolies demoiselles, et entre
toutes il doit en choisir une. En choisir
une seule, c'est précisément ce qu'Andronic est en train de faire. C'est pour cela
qu'il a placé toutes les femmes en cercle,
contre le mur. Pour mieux les voir et en
élire une seule. Lui seul peut être le promis. Et c'est moi qu'il a choisie, moi
seule, comprit Liza, fascinée par la danse
insolente, virile, du serpent.

« Allez, dis-le, qui donc te plaît le plus ici? » chuchota Andronic sur le même ton de plaisanterie.

Mme Zamfiresco se mit à trembler. Et s'il la choisissait elle? Si le serpent s'approchait, si elle le sentait monter sur sa poitrine, descendre audacieusement, de son glissement inconnu et terrifiant!... Non, non, cela n'était pas possible; pourquoi justement elle, pourquoi cela?...

« Bien! s'exclama Andronic dans un éclat de rire. Tu es vraiment un drôle! Mais à présent, va-t-en, la morte t'attend... »

Exactement comme l'avait pensé Mme Zamfiresco, horrifiée; ce serpent immonde était lui aussi une âme, sortie de Dieu savait quel tombeau. Et il avait une compagne morte. Exactement comme tous les autres; comme tous les êtres qui ont des morts mis en terre depuis des temps immémoriaux. C'est de là qu'ils viennent parfois, cachés sous les traits d'un serpent — ils viennent dans les maisons des vivants et boivent le lait laissé à leur intention, du vin mêlé de miel... L'épouvante de Mme Zamfiresco était très proche de la vénération. Si seulement elle avait encore la force de se signer, de prier pour l'âme des morts. Faute d'avoir trouvé le repos dans l'autre monde, qui donc avait dépêché ce serpent impur au loin, jusqu'en cette demeure... Seulement, qu'il ne réclame plus personne. Qu'il n'exige point une tombe encore, car il existe aussi des signes pareils à ceux-là...

« Tu t'en iras loin, murmura Andronic, tu nageras jusqu'à l'île au milieu du lac, et tu resteras là-bas, caché. Que je ne t'y prenne pas à manquer à ta parole! Et tu ne mordras personne. Rien ne t'arrivera, sois sans crainte... Allez, maintenant, pars! »

Le serpent demeura quelques instants dans l'éblouissement de la lune, comme s'il faisait le beau devant des yeux invisibles. Andronic leva lentement le bras et le pointa sur la porte. Comme s'il craignait cette menace, le serpent se retourna, hésita à la recherche de son chemin, tout en levant et en abaissant la tête sans désemparer.

Vladimir le voyait très bien maintenant — seulement maintenant, car sa course échevelée et solitaire à travers la forêt, pourchassé par un esprit invisible, venait à peine de s'achever. Il n'avait même pas remarqué avec précision comment la course avait commencé. Juste un cadran de montre phosphorescent, qui grandissait et grandissait à n'en plus finir, jusqu'à l'aveugler de ses lumières vertes, lunaires; et au beau milieu, le serpent. Comment n'avait-il pas pris garde que la montre de Stamate, qu'il avait portée à la main dans sa course à travers la forêt, recelait un serpent? Imperceptiblement, l'aiguille de la montre s'était mise à croître avec vigueur jusqu'à ce que Vladimir, épouvanté, aperçoive la luminescence des anneaux du serpent, leur brillance et leur frémissement sous cette lumière phosphorescente. Le lâcher immédiatement, jeter la montre! Mais avait-il encore une montre à la main? Il était derrière lui. Le deuxième! Vladimir entendit le cri de Stere. Quelle joie de pouvoir fuir, de courir dans la forêt la nuit, là où les arbres sont grands et accueillants pour offrir une cachette! Il a été vraiment gentil, Stere, de lui donner juste maintenant le signal du départ, qu'il puisse se libérer de ce souffle immonde derrière lui, sortir de cette lumière ensorcelante du cadran phosphorescent... Et soudain, devant lui, se dressant sur le tapis de lumière — le serpent. Il ne lui faisait plus peur. Il était à ses pieds et ne venait pas par derrière, grand et invisible.

« Plus vite, plus vite! » lui ordonna Andronic en faisant lui aussi un pas en direction de la porte.

Ainsi donc, c'était Andronic qui avait raconté la légende d'Arghira, la belle au visage de lait, métamorphosée en serpent, saisit Stamate. Il s'étonnait à présent d'avoir mis si longtemps à comprendre. Ce n'est qu'en reconnaissant la voix d'Andronic et en le voyant, tout près de lui, se diriger vers la porte, qu'il se rendit compte qu'il parlait. Stamate avait cru tout le temps que c'était le moine. Mais ce n'était qu'une impression, bien sûr, car le moine-sommelier n'était plus visible nulle part. Et ils n'étaient même pas dans les caves du monastère. Tous les autres étaient là, présents...

Andronic demeura quelques instants le regard perdu dans la nuit, au dehors. Puis il revint à sa place, au milieu de la pièce, porta la main à son front et se remit à murmurer. Le capitaine Manuilà l'entendait à présent si clairement que toutes ses paroles paraissaient lui être chuchotées très près, au creux de l'oreille. C'étaient les mêmes incantations sans doute, car le mot *sarpa* ne cessait de revenir, et Andronic le prononçait de manières si diverses, en le sifflant ou en le traînant. Manuilà se mit à sourire; tout ce qu'il avait raconté jusqu'ici, toute son enfance fantastique parmi les bohémiens, n'était-ce point une invention d'Andronic pour les abuser une fois encore? Mais alors, comment avait-il fait, cette graine de bohémien, pour amener un vrai serpent jusqu'ici, au milieu de la pièce? Le capitaine Manuilà l'avait vu, de cela il était certain. Un serpent grand et gris, qui avait presque dansé dans la lumière de la lune et qui était monté sur les mains d'Andronic... Peut-être cet Andronic avait-il appris ces sortilèges

auprès des tsiganes... Et qui sait encore
quelles autres choses impures! Pareil sor-
cier endort toute une maisonnée et vole
tout ce qu'il peut pour ensuite disparaître...

Manuilà observa les autres pour tenter
au moins de se rendre compte sur-le-
champ si Andronic les avait enivrés d'une
quelconque mauvaise herbe et s'il avait
volé la montre de Stamate, par exemple...
Mais le capitaine ne devina rien sur les
visages ravagés et blêmes des autres. Ils
étaient restés collés au mur, comme au
commencement, avec les mêmes visages
de cire. Il sentit de nouveau la peur monter en lui, et ses paupières lourdes. S'il
hurlait... Impossible de mouvoir ne serait-
ce qu'un doigt; pas même un gémissement ne sortait. Exactement comme en
cette heure d'épouvante, inoubliée, de son
enfance, quand il était entré brusquement
dans la chambre de sa mère à la campagne, et qu'il l'avait trouvée muette, le
regard aveugle, prostrée à terre, sans
savoir ce qui s'était passé. Ce n'est que
plus tard qu'on le lui avait dit; une bohémienne était venue dire la bonne aventure, et après s'être accommodée sur le
sol, elle avait tiré une main de mort de sa
besace et s'en était servie pour tracer un
cercle tout autour. C'était tout ce dont il
se souvenait... A présent cependant,
Manuilà comprenait bien ce qui se passait

à côté de lui. Il se rendait compte qu'Andronic achevait son incantation, après avoir conté son incroyable histoire d'enfant de boyard volé, élevé si longtemps parmi les bohémiens...

Stere fut le premier à s'arracher au vertige. Il avait vu Andronic tourner la tête vers la fenêtre, il savait que le serpent était parti depuis longtemps, et il fit un pas dans la chambre, d'abord avec une certaine timidité; puis, rapidement, il se dirigea vers la porte. L'air de la nuit qui l'accueillit, plus froid et plus pur, le réveilla. Stere poussa un soupir accablé et se frotta le front, essayant de se remémorer ce qui lui était arrivé. Tous ses souvenirs se brouillaient. Il commença de sentir la fatigue; il avait surtout mal aux pieds et ses jointures étaient raides. Il s'assit sur le rebord de l'escalier en respirant profondément.

« Mesdames et messieurs, s'éleva la voix d'Andronic, la fête peut recommencer! Le serpent, animal immonde et tellurique, instrument du Diable sur la terre, a été chassé d'entre nous! »

C'est en vain qu'Andronic s'ingéniait à plaisanter. Chacun s'éveillait difficilement, se détachait péniblement du mur tout en quémandant le regard des autres. Andronic s'approcha de M. Solomon et lui posa les mains sur les épaules. L'homme chancela, somnolent.

« C'est fini, monsieur Solomon! s'exclama Andronic. Je l'ai chassé! Il est parti! »

M. Solomon semblait ne rien comprendre. Le jeune homme le regarda, menaçant, au fond des yeux et le secoua, en lui chuchotant :

« Réveillez-vous! Il ne s'est rien passé! »

On entendit alors un cri aigu de femme malade, et Mme Solomon se mit à pleurer à gros sanglots. Ils frémirent. Stere apparut sur le seuil, indécis. Mme Solomon pleurait de manière étouffée, prête semblait-il, à tout moment à perdre connaissance. Andronic se précipita vers elle et lui serra le bras.

« Madame! Madame! cria-t-il d'une voix forte, dominant le cri hystérique de la femme. Ce n'était qu'une plaisanterie, réveillez-vous! »

Mme Solomon ravala un instant ses sanglots, effrayée, puis se remit à pleurer, tremblant de tout son corps.

« Il fallait s'y attendre! » déclara Andronic, comme s'il s'adressait à l'un des hommes à ses côtés.

On aurait dit qu'ils étaient encore tous somnolents, éberlués de ce qui venait de leur arriver, surpris par ces cris dont ils cherchaient l'origine. Andronic se rapprocha davantage de Mme Solomon et lui posa la main droite sur le front.

« C'est fini maintenant, murmura-t-il, c'est passé, n'est-ce pas? »

La femme se mit à soupirer, soumise. La crise l'avait un peu réveillée, car elle eut rapidement honte de sa faiblesse et se dirigea d'un pas hésitant vers la chambre voisine.

« Que s'est-il passé? interrogea Stere ahuri, sur le seuil. Qui donc crie de la sorte?

— Aglaé, chuchota sagement M. Salomon comme pour s'excuser. Elle est nerveuse... Elle n'a aucune résistance », poursuivit-il comme s'il se parlait à lui-même.

Sorti lui aussi de son engourdissement, le capitaine Manuilà se dirigea vers Stamate et lui demanda, pour voir de ses propres yeux la montre au cadran phosphorescent :

« Quelle heure est-il? »

Stamate examina les aiguilles avec la plus grande attention.

« Minuit douze, » dit-il.

Andronic se mit à rire.

« Vous auriez pu me le demander directement à moi, déclara-t-il en s'approchant du capitaine. Tout cela n'a duré que trois minutes, peut-être encore moins...

— C'était plus long, dit le capitaine, méditatif, en s'efforçant de renouer le fil de ses souvenirs, d'en retrouver le commencement.

— C'est une impression que vous avez eue, lui expliqua Andronic. C'est ce qui arrive toujours; le temps passe plus lentement en pareilles circonstances... »

Il parlait à voix haute et claire, les mains dans les poches de sa veste, comme si rien ne s'était passé. Il essayait par tous les moyens de porter remède à la froideur et à la gêne maladive qui semblaient avoir pris possession de tout le monde. Personne n'osait presque bouger sans regar-

der de tous côtés, attentivement, comme
redoutant de heurter une chose devenue
maintenant invisible, mais prête à tout
moment à resurgir. L'espace s'était
modifié; il était incohérent, trop plein par
endroits, vide et dangereux ailleurs.

« C'était quoi, ça? Andronic entendit la
voix de Vladimir.

— Rien d'autre qu'un sortilège, mon
très cher ami », répondit Andronic en souriant.

Il ne laissait passer aucune occasion de
leur fournir des explications, de les rappeler à la vie.

« Vous qui étudiez l'histoire et la littérature, ajouta Andronic, vous devriez le
savoir mieux que moi. Moi, je sais seulement le faire parfois, et plutôt en manière
de plaisanterie... »

Andronic continuait de parler, mais en
même temps, son regard furetait à la
ronde, s'évertuant à enflammer la curiosité des autres, à les attirer auprès de lui.

« Vous savez bien combien de symboles
sont liés au serpent dans les croyances de
tous les peuples, poursuivit-il en élevant
de plus en plus la voix. Souvenez-vous du
serpent...

— Dieu nous garde! Dieu nous garde! »
cria alors Mme Zamfiresco en se signant
peureusement.

Elle avait entendu le mot serpent, et
c'était comme si toute la terreur du début

s'abattait de nouveau sur elle, la faisant trembler de tout son corps. Andronic se tut brusquement et s'éloigna de Vladimir.

« Je comprends maintenant ce qui s'est passé, dit Andronic en cherchant sur la table une boîte d'allumettes. Il n'y a qu'une lampe allumée dans la pièce, et la lune donne trop de lumière... »

C'était de cette lumière de lune que jusqu'ici, Dorina n'avait pas encore réussi à détacher son regard. Comme si l'unique espoir de solution ne pouvait venir que de là, de ces eaux argentées, les seules à pouvoir lui donner la compréhension de tout ce qui s'était passé. Le fil des événements s'était rompu à maintes reprises jusqu'à présent.

La jeune fille s'était réveillée par intermittence, dans des circonstances différentes, en un enchaînement dont elle ne pouvait pour l'heure nullement prendre conscience. Cependant, tout ce qui s'était passé au bord de cette eau lunaire était sorti de cette lumière froide. Les épousailles, le promis, et la barque bercée depuis si longtemps, solitaire, au rivage, et si difficile à mouvoir...

« Bien entendu, maintenant ça va mieux », s'écria Andronic en allumant l'autre lampe et en montant la mèche de la première.

La lumière de la lune s'effaça et se coula, sale, sous la nouvelle auréole des

verres. La chambre retrouva son morne
décor, bien enfermé entre les murs. Dans
les intervalles de silence, on entendait au
dehors les grillons, des stridulations qui
paraissaient venir de très loin.

« Mesdames et Messieurs! essaya
encore une fois Andronic de ranimer ses
compagnons. Tout est maintenant exactement comme au début!... Nous pourrions
songer à un nouveau jeu en attendant que
les cafés soient prêts!... »

M. Solomon se souvint avec épouvante
qu'il avait demandé, peu auparavant, qui
reprenait un café. Que s'était-il donc
passé depuis lors? J'ai mis l'eau à bouil-
lir, j'ai servi le café, ils l'ont bu peut-
être?... Et pourtant, Andronic attend de
nouveau les cafés. D'autres?... M. Solomon se frotta le front, apeuré; il avait
commencé de croire qu'il s'imaginait pensées et visages que seul son esprit troublé
rassemblait côte à côte. Cependant, la
chambre est exactement comme avant. Et
les gens sont aussi les mêmes. Seule Aglaé
est dans l'autre pièce; elle a eu mal. Je
devrais aller voir ce qu'elle fait...

D'un pas décidé, M. Solomon se fraya
un chemin jusqu'à la chambre voisine. Il
trouva sa femme étendue sur le lit, le
visage abattu, vide de pensées.

« Tu crois que ça se fera? » interrogea-t-elle d'une voix enrouée en l'apercevant
près du lit.

M. Solomon haussa les épaules. La question ne l'avait guère surpris, mais il ne trouvait rien à répondre, et il se contenta de hausser les épaules.

« Je songeais à Dorina, c'est d'elle que je te parle, ajouta Mme Solomon de la même voix rauque et exténuée.

— C'est vrai, tu as raison, j'avais presque oublié, dit M. Solomon. Peut-être les choses vont-elles changer maintenant...

— Pourquoi?

— Je ne sais pas, je disais ça comme ça. Que peut-on savoir? »

Mme Solomon tourna lentement la tête. Elle respirait pesamment, et chaque mouvement semblait l'étourdir davantage.

« Mais toi, qu'est-ce que tu as? demanda-t-elle.

— Rien, je me sens bien. Je songeais qu'on devrait prendre un café... »

Il regarda un instant sa femme avec attention, puis ses yeux fixèrent le vide. Inconcevable; impossible de saisir ce qui s'était passé après sa question; c'était il y a un instant, il avait levé la main et demandé : Qui veut encore un café?... Ou bien, était-ce au déjeuner, ce midi, dans la cour, quand il était sorti sur le seuil et qu'il avait déjà levé pareillement le bras?...

« Ainsi donc, la voix d'Andronic s'éleva à nouveau dans l'autre pièce, vous vous prépariez à un mariage, et à moi, vous ne

m'en avez rien dit! Je comprends maintenant pourquoi vous étiez tous si joyeux...

— Tu vois, dit Mme Solomon en se
ranimant subitement, c'est vrai! Lui aussi
a compris!

— Mais le capitaine ne dit rien », remarque M. Solomon, morose.

C'était vrai, le capitaine Manuilà avait
été si déconcerté par l'audace d'Andronic
qu'il rougit et baissa les yeux à terre,
muet. Les paroles d'Andronic étaient mal
tombées. Le capitaine était encore surpris
par le silence pénible, incompréhensible,
des autres : que leur est-il arrivé qu'ils se
regardent si éberlués? Et personne ne
parle justement de ce qui avait été le plus
curieux, de ce serpent qui semblait sorti
de la terre au beau milieu de la maison...

« D'où savez-vous donc qu'il s'agit d'un
mariage? » interrogea Mme Zamfiresco.

Les choses paraissaient plus claires à
présent, pensa Mme Zamfiresco. Cependant, Andronic la regarda en souriant et
haussa les épaules. Ce n'était pas à elle
qu'il voulait s'adresser...

« Qui donc est l'heureuse promise? »
demanda-t-il derechef, s'efforçant de rire
et de donner à ses paroles un ton enjoué.

Le capitaine Manuilà tourna brusquement son regard vers Dorina et la vit
s'empourprer, le front baissé. Cela
l'encouragea dans sa décision.

« Vous êtes indiscret, monsieur Andronic! lança-t-il, surpris quand même de la faiblesse de sa voix, de la mollesse de ses paroles.

— Je vous en demande pardon, monsieur le capitaine, répliqua rapidement Andronic. Mais je ne croyais pas commettre une indiscrétion; je voulais simplement vous dire que tout ce qui s'est passé était bon signe... Pareille nuit au monastère, et le signe qui s'est manifesté soudain ici, au milieu de nous... »

Il se mit à rire encore plus fort, mais ses éclats n'animaient guère l'atmosphère. Les autres continuaient de se mouvoir toujours aussi malaisément, toujours aussi abasourdis, en se regardant les uns les autres à la recherche de leur prochain, n'osant point trop se défaire des murs. Comme s'ils redoutaient de glisser dans le vide, de perdre la tête. Seul Stere, qui était sur le seuil dans le battement de l'air du dehors, semblait mieux éveillé. Les éclats de rire d'Andronic lui firent réellement du bien. Peut-être le garçon les avait-il tous embobinés, et maintenant, il se rendait...

« Quelle que soit l'heureuse promise, dit Andronic, je me sens obligé de boire à sa bonne chance! »

Il s'en alla effectivement dans la pièce voisine et en revint rapidement, un verre de vin pourpre à la main.

Ils le suivirent tous des yeux, aussi

curieux que s'ils s'attendaient à voir quelque chose d'extraordinaire.

Le jeune homme vida le verre d'un trait.

« Maintenant, j'attends les autres », dit-il.

Mais personne n'osa boire. Mademoiselle Zamfiresco regardait Andronic, stupéfaite. Elle ne comprenait rien à tout ce qui se passait. Elle avait sommeil; un sommeil lourd de fatigue, de langueur maladive.

« Qui aimerait faire une promenade, pour respirer un peu d'air pur? » reprit Andronic.

Plusieurs têtes se tournèrent vers la porte, mais la nuit au dehors les intimida. Seuls Vladimir et Stamate firent un pas en direction de la porte. Cela ne leur ferait pas de mal. Dehors, l'air était pur. Et puis, ils n'iraient pas dans la forêt, même pas dans la cour. Juste dehors, tout près de la maison, pour respirer de l'air frais...

« De l'air frais, dit le capitaine Manuilà. C'est une excellente idée. Que font les dames? »

Il regarda Dorina. La jeune fille rencontra son regard et rougit. Maintenant, tout le monde savait. Lui aussi, le capitaine, il savait ce qu'elle avait vu, cette chose terrifiante...

« Moi, j'ai sommeil », dit Dorina non sans difficulté.

Le capitaine Manuilà tressaillit. La voix de la jeune fille était changée, et peut-être nc convenait-il pas de la laisser seule précisément maintenant.

« Je ne crois pas qu'il soit bon de vous coucher si vite, mademoiselle, dit-il doucement. Vous risquez de faire de mauvais rêves! »

Andronic le saisit par le bras et l'interrompit.

« Ne lui dites rien, vous allez lui faire peur! murmura-t-il. Mieux vaut les laisser tous quelques minutes tout seuls... Cela va passer. »

Vladimir, Stamate et Riri sortirent dans la cour. La lune était presque au milieu du firmament. La nuit était sereine, silencieuse, sans le moindre mystère.

« Moi, je ne comprends pas encore très bien ce qui s'est passé, dit Vladimir. Y avait-il, oui ou non, un serpent?

— Je l'ai vu de mes yeux vu, dit Manuilà. C'était un grand serpent aquatique... Je me demande d'où M. Andronic a bien pu le sortir... »

Andronic paraissait assez ennuyé. Il haussa les épaules.

« Je ne l'ai sorti de nulle part, dit-il. Je l'ai appelé pour le chasser loin de nous, afin qu'aucun malheur n'arrive... Et il m'a écouté; maintenant, probablement qu'il nage vers le milieu du lac, pour arriver plus vite sur l'île, là-bas. »

Le bras levé, il montra le lac, par-dessus le mur.

« Où? » interrogea Dorina.

Ils s'aperçurent alors que la jeune fille était sur le seuil et qu'elle avait écouté. Riri s'approcha d'elle, sans rien dire. Andronic la regarda tranquillement, avant de préciser une fois encore en levant les bras.

« Dans l'île au milieu du lac, mademoiselle. Là-bas, il ne mordra plus personne... »

Dorina l'avait écouté, impassible. L'affirmation d'Andronic que le serpent ne mordrait plus personne ne l'attrista ni ne la réjouit.

« Tu n'as pas froid, toi? lui demanda Stere.

— C'est mieux ainsi, dit la jeune fille. J'ai eu si peur...

— Non, la rassura Andronic, vous avez eu seulement l'impression. Vous n'avez pas eu peur... Ces choses-là doivent de toute manière arriver...

— C'est vrai, dit Dorina, rêveuse.

— Pourquoi doivent-elles sans faute arriver? interrogea Manuilà, inquiet.

— Cette histoire de serpent, répondit Andronic. Il serait quand même venu. J'ai senti d'emblée qu'il voulait pénétrer dans la pièce... Mais je n'ai pas voulu casser la fête à table. Quand je vous l'ai dit, j'étais un peu pressé... »

Il se mit à rire et les regarda à tour de rôle.

« ... Minuit approchait, confia-t-il timidement, comme s'il se rendait compte du
mystère factice de l'aveu. Et après minuit,
je n'avais plus aucun pouvoir sur lui... »

Il se tut brusquement, rembruni. Les
autres aussi se turent, embarrassés, en se
regardant.

« Cela a dû vous être difficile d'apprendre cet art-là, finit par dire Manuilà.

— Quel art? interrogea Stere, ébahi.

— Ce sortilège avec le serpent, expliqua
Manuilà. Ce n'est pas chose facile, cela va
de soi... »

Andronic hésita, il n'aimait guère parler
de ce secret.

« Je ne me souviens même plus
comment je l'ai appris, dit-il évasivement.
C'était il y a longtemps. Il y a tant de choses que je sais sans me souvenir quand et
comment je les ai apprises... Par exemple,
l'histoire d'Arghira que je vous ai
racontée, cette histoire que plus personne
ne connaît au monastère... »

Ni Stere ni Dorina n'avaient entendu
l'histoire d'Arghira, mais ils n'avaient non
plus aucune curiosité à l'entendre. Ils se
contentèrent des paroles d'Andronic; à
présent, plus rien ne leur paraissait
curieux, mystérieux, indéchiffrable, digne
d'être résolu ou expliqué.

« Mais moi, je ne comprends toujours
pas comment vous avez su qu'il était dans
les parages », dit Riri.

Elle avait parlé à brûle-pourpoint, d'une traite, évitant tout de même de prononcer le mot serpent.

« Cela, je vous le dirai demain matin, sourit Andronic. Cela ne doit pas être dit dans l'obscurité... »

Dorina se mit à trembler. Riri la saisit par le bras, sans la regarder.

« Cela ne peut être dit, poursuivit Andronic, parce que j'ai peur de vous. Vous avez vu combien vous êtes sensible... »

Il tourna doucement la tête et regarda Dorina dans les yeux, d'un regard chargé de sous-entendus. La jeune fille devint blanche.

« Ce n'est même si difficile à comprendre, chuchota Andronic. Quand une chose aussi importante se prépare... »

C'est alors que M. Solomon apparut sur le seuil. Il semblait commencer à se dégourdir.

« Qui veut se coucher, dit-il, qu'il aille faire son lit. Et qui veut un café, qu'il lève la main! »

Il sourit avec une certaine difficulté. Seuls Andronic, Stere et le capitaine Manuilà demandèrent des cafés. Tous les autres étaient ensommeillés, fatigués.

« J'ai l'impression d'avoir cassé la fête », dit Andronic en regardant le capitaine dans les yeux.

XI

Une heure plus tard, tout le monde était couché. Les tentatives d'Andronic de les faire sortir de la maison pour faire une promenade ensemble dans le parc s'étaient soldées par un échec.

Personne n'avait envie de bavarder. Ils avaient avalé leur café plutôt à contre-cœur, et chacun sentait persister dans ses jambes cette même lassitude trouble. Ils n'avaient même plus eu la force d'accommoder comme il se devait les chambres à coucher. Ils s'étaient contentés de rapprocher les lits et de baisser les rideaux aux fenêtres. Pour les messieurs, dans une autre chambre, des matelas avaient été installés à même le sol, et la plupart s'étaient endormis à moitié habillés. Andronic renonça à demander un pyjama. Il s'était choisi deux chaises, prétendant qu'il y dormirait mieux que sur des planches.

« Moi, pourtant, je n'ai pas sommeil,

déclara-t-il en voyant ses compagnons baisser la lampe tout en se préparant à dormir. Qui veut venir avec moi dehors? »

Cette fois-ci, seul le capitaine Manuilà l'accompagna, bien qu'il se sentît lui aussi fatigué, les pensées éparpillées, la volonté harassée. Il ne pouvait cependant pas laisser Andronic seul, victorieux. Ils sortirent tous deux dans la cour.

« A vous, je peux vous le dire, commença Andronic. Je regrette que tout ait mal tourné par ma faute... S'il n'y avait pas eu ce damné, peut-être serions-nous maintenant en train de nous promener en barque sur le lac...

— Sur le lac, en tout cas pas, dit Manuilà. Le temps ne s'y prête pas encore... Vous ne sentez pas la fraîcheur qui est tombée?

— Je ne sens rien, répondit Andronic en levant les yeux au ciel. Je ressens uniquement une terrible envie de faire des folies... Monter aux arbres, grimper de branche en branche, nager dans ce lac miraculeux... »

Manuilà l'écoutait parler avec étonnement et une certaine envie. Sans nul doute, c'était un drôle de zèbre, sinon un magicien dans le plein sens du terme. D'où lui venait tant de force, tant de vitalité et de fantaisie?

« Après minuit, poursuivit Andronic, je ne sais ce qui m'arrive... Parfois, il me semble que je suis un oiseau, d'autres fois, je me crois un blaireau, ou encore un singe... Cela vous fait peut-être rire, non? demanda-t-il à son compagnon.

— Non pas du tout, répondit gravement le capitaine.

— Et presque toujours, j'oublie ce que j'ai fait, je ne me souviens plus où j'ai passé mes nuits...

— A présent, cela pourrait vraiment me faire rire », releva Manuilà avec sérieux.

Andronic sourit tristement.

« Vous vous trompez si vous songez aux femmes, à l'amour comme on dit. La nuit a pour moi d'autres charmes... Vous voyez — il embrassa d'un geste du bras le ciel, la forêt — tout cela, c'est bien plus puissant que l'amour. Et bien plus grave... »

Il se tut brusquement, comme s'il venait de révéler un secret. Il demeura quelques instants rembruni, les yeux fixes dans le vide.

« ... Plus grave, car jamais on ne sait d'où ça vient, où est le commencement et où est la fin... Un amour, une femme, on la voit devant soi, dans son lit même, et l'amour — on le sent naître et mourir... Mais ces choses-là?... »

Il montra de nouveau la nuit, les grands arbres endormis, et c'était comme si lui aussi avait subitement peur. Manuilà ressentit avec acuité le trouble d'Andronic. C'était vrai, à présent tout paraissait autre...

« Si seulement elles se contentaient de t'écraser de leur puissance, reprit Andronic. Mais elles ne le font jamais... elles te changent, t'assombrissent, et parfois tournent même les esprits... C'est pourquoi je disais que...

— Je comprends, fit Manuilà d'un ton las. C'est une espèce de poison...

— Non, ce n'est pas ça, l'interrompit Andronic avec vivacité. Cela se trouve dans ton propre sang, et tes propres parents eux-mêmes n'y sont pour rien... Mais je vois que vous ne m'écoutez pas », poursuivit-il en souriant avec bienveillance.

Le capitaine fixait le vide, terrassé par le sommeil. A chaque mot du jeune homme, la fatigue semblait s'accumuler davantage, poussant toujours plus le sommeil dans tout son être.

« Oui, avoua-t-il, je voulais précisément vous prier de m'excuser. C'est tout juste si je tiens encore debout... Ce fut une dure journée pour moi. Et tant de choses étranges... »

Andronic lui serra la main et le regarda en souriant monter les marches. Il ressemblait à un ivrogne, trébuchant à chaque pas. Manuilà pénétra dans la chambre sans se rendre compte où il mettait les pieds. Il trouva sa place sur un matelas et s'y jeta tout habillé. Tous les autres dormaient, recrus de fatigue.

Resté seul, Andronic sortit se promener, méditatif, devant les cellules des moines. Aucun bruit ne montait de nulle part. Une paix irréelle semblait s'être coulée sur toute la forêt. D'un pas nonchalant, il s'en alla dans l'allée devant le monastère. Il y avait de grands arbres des deux côtés, des acacias nains et des rosiers sauvages poussés au petit bonheur. Tout dormait profondément sous la lumière irisée de la lune. Andronic entendit un gazouillis grave dans un buisson et s'arrêta sur-le-champ.

« Eh dis donc, tu n'es pas encore couché? Viens donc un peu par ici!... »

Il leva la main et attendit quelques instants. D'un vol rapide, heurtant des branches au passage, un petit oiseau vint s'installer timidement dans sa paume. Andronic rapprocha attentivement sa main de son visage. L'oiseau trembla, mais ne s'envola point.

« Que t'arrive-t-il? interrogea Andronic feignant le mécontentement. C'est bientôt l'aurore... »

De l'autre main, il enveloppa l'oiseau, doucement, tendrement, et lui caressa la tête. L'oiseau se recroquevilla, puis secoua ses plumes, tout joyeux.

« Tu vas tout de suite te coucher, tu ne vas tout de même pas me dire que tu es amoureux!... »

Il tendit le bras et l'oiseau prit sagement son vol, sans crainte, sans même piailler. Le jeune homme guetta pendant quelques secondes le bruissement des feuilles, comme s'il voulait se convaincre qu'il était obéi.

Ensuite il hésita, indécis sur la direction à suivre. Il avança au hasard dans l'allée, puis changea rapidement d'idée et se dirigea vers le lac.

En passant devant les cellules, il tendit une fois encore l'oreille, pour s'assurer que personne ne s'était réveillé. Toujours le même silence, un silence de cité enchantée. C'est seulement en s'éloignant des murs du monastère et en descendant vers le lac qu'il se rendit compte qu'ici, les bruits étaient à leur apogée. Grillons, sauterelles, grenouilles et grands oiseaux s'éveillaient à la lune et piaillaient brièvement — ici, la vie paraissait véritablement se prolonger, tout entière jusque dans le sommeil.

Tais-toi! Ne pleure plus! Ce n'était rien! lui disait Andronic tout près de l'oreille. Mme Solomon redoublait de pleurs pour sentir sa proximité chaleureuse, virile, pour entendre encore ses paroles murmu-

rées avec tant de passion. Je t'en prie!
poursuivait Andronic, et ses lèvres effleu-
rèrent le lobe de son oreille. Jamais
Mme Solomon n'avait senti pareille
caresse. Tout son corps fondit sous ce frô-
lement de feu. Elle voulut se défendre,
mais les bras d'Andronic l'enserrèrent
puissamment. J'espère qu'il n'y a pas
qu'un seul faune dans toute cette forêt,
murmura-t-il passionnément. Mme Solomon sourit : D'où connais-tu mes pensées? lui demanda-t-elle, à la fois pour se
défendre et pour le taquiner. Allons plutôt
voir ce que font les autres! ajouta-t-elle
d'une traite. Tout le monde dort, murmura Andronic, n'ayez crainte. Et puis, tu
ne vois pas? Le briquet s'est éteint; c'est
le signal, c'est le gage... Mme Solomon
essaya de s'arracher à ses bras, mais la
chaleur du jeune homme l'étourdissait,
l'ensorcelait. Si seulement personne
n'allumait le briquet, pour nous voir, sou-
pira-t-elle...

Liza entendit derechef la voix de Stere :
Le cinquième! Cette fois-ci de si loin, tellement éteinte, qu'elle devina plutôt les
mots parce qu'elle les savait. Maintenant,
c'est son tour, se dit-elle en s'efforçant de
rester calme. Pourtant, elle tremblait. Et
si le serpent venait d'abord?... Elle avait
eu peur pour rien. Andronic apparut tran-

quillement entre les arbres. Tu m'attendais? lui demanda-t-il en souriant. Oui. Je voulais te dire que le briquet s'est éteint... Elle le lui montra, dans le creux de l'arbre, mais Andronic ne suivit pas son geste du regard. Il s'approcha d'elle, sans timidité, et l'enserra dans ses bras. Liza tremblait, mais le corps de l'homme était si puissant, si attirant, qu'elle n'osa pas se débattre. Il faut me donner le gage! lui murmura Andronic. Liza essaya de s'arracher à son étreinte, comme si la volupté avait pu être encore plus grande d'avoir été poursuivie à travers la forêt, puis sauvagement saisie dans ses bras de fer, brûlants. Mais elle ne parvint pas à s'échapper. Andronic la rivait sur place en lui murmurant à l'oreille : Tu l'as vu? Liza sentit le sang lui monter aux joues, mais le plaisir de l'entendre dire des mots pleins d'audace était trop grand. Tu n'as pas peur de lui? interrogea de nouveau Andronic. Liza secoua pudiquement la tête et voulut enfouir son visage sur l'épaule du jeune homme, mais il attrapa ses lèvres et la garda ainsi, sans lui permettre de respirer... Doucement, tout doucement, avec une volupté infinie, entremêlée de terreur et de mort, Liza se sentit défaillir et sombrer — dans l'instant même où elle vit jaillir la tête terrifiante du serpent des poings serrés d'Andronic...

Fendant inconsciemment, de la main, l'air dans l'obscurité, Vladimir découvrit à côté de lui Liza. Il en demeura pétrifié, ne se risquant même pas à lui demander ce qu'elle faisait là, dans son lit. Ce n'est même pas ton lit! s'exclama Liza en guise de réponse à sa question informulée. C'était vrai, Vladimir remarqua avec une muette surprise qu'il n'était pas dans sa chambre. C'était une longue pièce inconnue, pleine de vases de fleurs. Qui a allumé? interrogea-t-il brusquement. Il n'y a pas de lumière, il te semble seulement! lui répondit Liza en souriant. C'est seulement la lune! Elle le regardait intensément dans les yeux, provocatrice. C'est dommage, dit Vladimir. Que dira Stere? Liza se rapprocha encore davantage de lui et murmura : Que faisais-tu dans la forêt? Tu ramassais des serpents, n'est-ce pas? Vladimir tressaillit, apeuré. Mais au même moment, il observa avec terreur le visage de Liza changer, devenir hideux et répugnant, avec une bouche énorme s'ouvrant en un rictus bleuâtre. Il se couvrit les yeux de ses paumes. Il respira épouvanté, tremblant, avec une terreur stupide entremêlée de dégoût. Allez, n'aie pas peur, entendit-il derechef la voix de la femme, allons plutôt chercher les autres!... Ouvrant les yeux, Vladimir entrevit devant lui Aglaé.

Ils l'ont tué, dit-elle en souriant, ils se sont tous précipités sur lui et ils l'ont tué! Elle parlait du serpent, bien entendu. Vladimir respira, allégé. Il n'en reste pas grand-chose, poursuivit Mme Solomon. Voilà, c'est tout! Et elle lui montra la montre. Le cadran était maintenant constellé de perles étincelantes. J'espère qu'il n'est pas trop tard, dit Vladimir. Tu sais que maintenant, c'est mon tour. Ils attendirent tous les deux, à l'écoute du signal. Mais Mme Solomon se rapprochait de plus en plus de lui, l'attrapa par la taille, se serrant contre sa poitrine. Vladimir se sentait envahi par un tendre étourdissement, d'une chaleur assoupissante, et il se mit à trembler. Ce n'est pas possible, se disait-il, pas ça!... Il entendit alors le cri de Stere : Le deuxième! et il s'arracha des bras de la femme, fuyant farouchement dans la nuit, au cœur de la forêt accueillante et chaleureuse.

XII

A peine Dorina se fut-elle endormie que quelqu'un s'approcha d'elle et lui dit, en lui tapant sur l'épaule :

« Allez, viens! Le jour va bientôt se lever!... »

La jeune fille sauta du lit, effrayée. Si vite? Et les autres, ils restaient ici, seuls, au monastère?

« Cela, c'était il y a bien longtemps, et uniquement en rêve... Comment se fait-il que tu t'en souviennes? »

Dorina esquissa un sourire. C'était vrai. Tout n'avait été qu'un rêve, cette fête amère chez Solomon, et leurs jeux dans la forêt, et le serpent...

« Mais ne prononce jamais ce mot, l'avertit sa compagne, comme si elle devinait ses pensées. Ne le prononce pas, car tu n'en as pas le droit...

— Bon, je saurai... Et si pourtant... »

Auprès d'elle, la femme qui l'avait réveillée se rembrunit, maussade.

« Alors, tu ne le verras plus pendant neuf années consécutives... Tu le chercheras dans le monde entier, et tu ne le rencontreras point...

— Qui? tressaillit Dorina.

— Ton promis. Ou peut-être cela aussi tu l'as oublié, tu as oublié qu'aujourd'hui ce sont les épousailles...

— Si vite? interrogea timidement Dorina. Le jour ne point pas encore...

— C'est maintenant qu'il est homme, seulement jusqu'à ce que le soleil se lève... Après, il se cache de nouveau et tu ne verras plus... »

Dorina regarda de tous côté. Quelle vaste pièce somptueuse, aux murs dorés, avec un plafond s'arrondissant comme une voûte. Elle avait dormi ici presque toute la nuit et ne s'en était même pas aperçu...

« Allez! plus vite, la pressa la femme. Les autres t'attendent avec la robe de mariée...

— Mais il faut que je le dise d'abord à maman », regimba Dorina.

La femme sourit avec indulgence. Elle la prit par la main et lui indiqua le fond de la chambre. Une autre pièce semblait s'ouvrir là-bas, et au bout — une autre encore, à l'infini, comme dans un jeu de miroirs.

« As-tu vraiment le temps de t'en retourner encore? Cela, c'était il y a très longtemps... Tu ne sais même pas combien de temps depuis lors... »

Dorina regarda sans tristesse l'enfilade de chambres qui semblait la séparer d'une autre rive. Doucement, ses derniers souvenirs s'effaçaient de sa mémoire. Maintenant, elle comprenait pleinement elle aussi qu'il s'était écoulé tellement de temps depuis lors, et que rien ne pouvait revenir, rien ne pouvait plus être comme cela avait été une fois...

« Prends ton anneau! lui rappela la femme. Et ne l'ôte de ton doigt qu'au moment où tu seras devant lui...

— Devant Andronic, murmura timidement Dorina, tressaillant d'émoi.

— C'est comme cela que vous l'appelez... »

La femme fixa Dorina dans les yeux et sourit tristement.

« Toi, tu le connais?

— Je le vois moi aussi, seulement la nuit, répondit la femme. Quand il est un bel homme...

— Et toi, tu l'appelles comment? questionna encore Dorina.

— Comme toi tu ne dois pas l'appeler... »

Dorina eut peur de ce regard étranger, de ce visage qu'elle n'avait jamais rencontré auparavant.

« Allez! On nous attend... »

Elle la saisit par la main, presque

contre son gré, et la tira vers la porte. Arrivée sur le seuil, Dorina s'arrêta, tremblante. Il lui sembla que de l'autre côté, au-delà du seuil, il y avait de l'eau. Une eau bien cachée, mais profonde, noire, froide, qu'un œil non averti aurait pu prendre pour un tapis.

« J'ai peur, chuchota-t-elle.

— N'aie pas peur, tu ne vas pas te noyer, la tranquillisa la femme. Tant que tu es avec moi, tu ne te noieras pas... »

Elle la tira par le bras; Dorina ferma les yeux, mais son pied ne s'enfonça point. Elle marchait comme sur du verre. La fraîcheur de l'eau pénétrait juste sous ses pieds, c'était tout. Sa respiration cependant était courte, comme figée dans sa poitrine.

« Respire profondément, lui dit encore la femme. Sois sans crainte. Tu t'accoutumeras par la suite ici aussi, sous l'eau...

— Où sommes-nous donc? demanda Dorina, effrayée.

— Dans son palais...

— Mais alors, comment voit-on le soleil jusqu'ici? interrogea Dorina en regardant attentivement autour d'elle.

— Puisque le palais tout entier est en verre, uniquement en verre... Tiens, regarde... »

La femme fit un geste de la main, vers le haut. On voyait le ciel. Lointain, glauque, argenté. Là-bas, là-haut, il n'y avait qu'une lumière timide, comme empruntée d'ailleurs. De grandes lumières étincelantes venaient d'en face.

« Il nous attend... Qu'il ne se fâche pas de notre retard... »

Elle la prit fermement par la main et hâta le pas. Éblouie, Dorina regardait le ruissellement devant elle. On entendait des voix nombreuses, et des sons étranges, moelleux, de violons à peine effleurés. Des marches blanches commençaient, pareilles à du marbre. En arrivant à la première, Dorina hésita. Mais sa compagne la tira avec force derrière elle.

« Monte! monte! » lui ordonna-t-elle.

C'était tellement difficile! Comme si des puissances invisibles lui pesaient sur les épaules, l'harassant à chaque pas.

« Monte! monte! » entendit-elle d'autres voix venues d'en haut.

Et elle sentit de nouveau le bras de la femme la tirer. Elle ferma ses yeux pleins de larmes, et fit encore un pas. La douleur de cette peine incompréhensible semblait l'étourdir.

« Pourquoi est-ce si difficile? murmura-t-elle.

— Pour lui aussi, ce fut difficile d'aller jusqu'à toi. Tu as oublié qu'il ne pouvait bouger la barque? Combien de temps avez-vous attendu là-bas, au bord du lac, et la barque qui ne pouvait se détacher du rivage...

— Oui, c'est bien ça », se souvint Dorina.

Elle se remémora aussi le regard ardent d'Andronic. Son bras chaleureux et puissant auquel elle s'était accrochée alors, il y a longtemps, en rêve...

« Monte! monte! entendit-elle derechef des voix venues d'en haut.

— Qui sont-ils? demanda Dorina.

— Les autres. Ils sont beaucoup. Tous viennent ici... Mais c'est dur, n'est-ce pas? »

Son sourire paraissait encore plus triste à présent, quand elle voyait la peine de Dorina.

« C'est encore loin? demanda une nouvelle fois Dorina.

— Si tu l'aimes, c'est tout près... »

La jeune fille serra les paupières, se mordit la lèvre et s'acharna. Encore une marche, encore une...

« Il ne peut pas m'aider, n'est-ce pas?

— Sur cet escalier, non. Ce n'est pas son escalier... »

Les voix au-dessus semblaient se perdre, en même temps que le son de violons. Où donc s'était évanoui tout ce monde qui l'attendait, les yeux rivés sur elle? se demanda Dorina.

« Ils ne se sont pas évanouis, lui répondit la femme. Ils t'attendent Regarde-les... »

Dorina se retrouva tout à coup au

milieu d'une salle sans fin, riche de lumières et de miroirs. Un monde de rêve s'ouvrait devant ses yeux. Les femmes étaient
vêtues comme autrefois, et les hommes
portaient des habits brodés d'or, de longs
glaives et des heaumes.

« Ne leur parle surtout pas! » lui chuchota hâtivement la femme.

Dorina avançait timidement, aveuglée,
dans la haute salle sans fin. Les hommes
la fixaient de leurs regards étrangers,
froids, comme s'ils s'évertuaient à
l'immobiliser entre eux, car leur cercle se
rétrécissait de plus en plus. Et chacun lui
faisait signe de la main, chacun lui mon-
trait quelque chose de merveilleux; qui un
oiseau d'or sans pareil, qui un gobelet
orné de joyaux, qui encore un soulier étincelant. La jeune fille fut prise de vertige et
porta sa main à ses yeux.

« Ne leur réponds pas, quoi qu'ils te
disent », entendit-elle de nouveau le murmure de sa compagne.

Au même instant, elle sentit le bras de
la femme plus impérieux, qui la tirait.

« Regardez, c'est Arghira qui vient, la
belle au teint de lait! » cria un jeune
homme en lui barrant le chemin et en lui
montrant un trône caché.

Sans le vouloir, Dorina tourna les yeux.
Au loin, éclaboussée de lumière, il y avait
une jeune fille livide, aux cheveux noirs,
aux yeux grands ouverts.

« Elle aussi a été promise! poursuivit le jeune homme en souriant. Elle aussi elle vient de là-bas, comme toi. Regarde-la! »

Dorina se mit à trembler. La jeune fille paraissait morte; elle demeurait sans bouger, le visage blême et rigide, ses yeux ne cillaient pas.

« Trois jours, c'est tout ce qu'il l'a connue! cria de nouveau le jeune homme, la contraignant presque de s'arrêter. Maintenant, elle est morte, elle est morte depuis longtemps. Regarde-la bien! »

Même sans le commandement du jeune inconnu, Dorina ne pouvait détacher son regard du visage de la jeune fille sur le trône. Le mystère de ce visage pétrifié, cette tristesse froide et pensive, la troublaient de plus en plus.

« Allez! chuchota sa compagne, s'efforçant de la tirer par le bras.

— Qui est-ce? demanda Dorina. Elle aussi a été promise, et elle est morte? »

La femme hésita, sans répondre. Elle voulait la tirer plus près d'elle, pour la sortir au plus vite de ce cercle de gens qui continuaient de la fixer vertigineusement.

« Regarde-la mieux, et tu comprendras qui elle est, reprit le jeune homme. Elle aussi est vêtue d'une robe de mariée, tu ne vois pas? »

Dorina s'arrêta brusquement, toute tremblante. La jeune fille sur le trône lui parut alors connue; ces yeux grands ouverts, et ces lèvres serrées...

« Tu ne vois pas que c'est toi, là-bas? » s'écria triomphalement le jeune homme.

Tous les violons se turent, comme stoppés par un signe invisible. Un grand silence pétrifia la salle. Dorina resta un instant les yeux écarquillés, puis gémit, blessée, et s'affaissa.

Elle commença à prendre conscience de l'endroit où elle se trouvait. La chambre tout entière était baignée d'une lumière ensorcelante, lunaire. Dorina s'éveilla frissonnante, épouvantée. Elle perçut un ronflement rauque, entrecoupé de brèves suffocations. Des bruits indéfinis parvenaient jusqu'à elle; un long soupir, des chuchotements incompréhensibles et des crissements de bestioles invisibles. La jeune fille se caressa le front de la main, s'efforçant de comprendre ce qui lui était arrivé. Elle prêta l'oreille aux respirations étouffées près d'elle. Elle tourna lentement la tête et aperçut, juste à côté, le visage lourdement penché de Liza. De l'autre côté, Riri dormait, les poings serrés près de la bouche. La chambre était illuminée jusque dans les moindres recoins, mais on ne voyait pas la lune à la fenêtre. On devinait seulement un coin de ciel bleu, transparent.

« J'ai rêvé », murmura Dorina pour se rassurer.

Néanmoins, elle avait peur, seule à être éveillée parmi toutes ces femmes endormies. Chaque bruit qu'elle percevait lui semblait chargé de mystère, ensorcelé, incompréhensible. Plus tard, elle remarqua qu'on entendait au loin le coassement des crapauds. Elle réfléchit quelques instants. Nous sommes au monastère. J'ai rêvé. Tout ce qui est arrivé jusqu'à maintenant, c'était un rêve...

Mais elle se souvint brusquement d'Andronic, et sa respiration s'accéléra de nouveau. Lui aussi n'aurait-il été qu'une hallucination? Et le serpent?...

Elle demeura les yeux ouverts, assombrie, s'évertuant à se souvenir de tout ce qui était arrivé. Elle ne comprenait rien clairement. Seuls les yeux d'Andronic persistaient sur elle, quelque part dans l'atmosphère lumineuse de la chambre. Elle avait l'impression de le sentir très près, elle percevait surtout ce parfum indéfini de corps frais et masculin, en même temps que cette chaleur ardente qui jaillissait de ses yeux, de ses mains... Et le serpent? Dorina s'empourpra, baissant les paupières et les serrant jusqu'à la douleur. Ce même dégoût éprouvant, cette grande peur et ce désir maladif qui subsistaient dans son souvenir trouble. Les faits se dégageaient difficilement dans son

esprit, et toutes ses pensées naissaient
affaiblies, incertaines, ne sachant plus
s'enchaîner. Tout était dolent, vaseux,
enveloppé de brouillard. Seul le sortilège
du serpent demeurait; son sortilège et
celui d'Andronic. Seul le visage d'Andronic la rassurait, quand elle l'appelait
en pensée. Elle le voyait vivant, entier,
merveilleux dans sa virilité sans pareille...

Dorina lutta longuement avec le sommeil, avec ses souvenirs. Les ronflements
de l'autre pièce lui parvenaient parfois
avec une précision exaspérante. Dans la
chambre, la lumière de la lune persistait.
Le fenêtre était ouverte, mais il ne faisait
pas encore froid. La respiration des femmes était profonde et lourde. Toutes dormaient la bouche ouverte, le cou penché
et les bras tordus. Elle voyait les poitrines
se soulever et redescendre bruyamment,
libres de toute entrave, elle voyait les
muscles s'étendre et les visages transpi-
rer. Jamais Dorina n'avait vu autant de
femmes fatiguées dormir. Jamais sa luci-
dité n'avait été plus aiguë, et pourtant
aussi malade, prête à se fondre dans l'hallucination à la moindre frayeur. Elle les
contempla quelques instants, puis ferma
les yeux et se rendormit d'un seul coup,
comme si elle s'était doucement enfoncée
dans un lac sans fond.

XIII

Andronic avait traversé une bonne partie de la forêt avant de revenir au bord du
lac. Arrivé entre les arbres — à l'endroit
où s'étaient déroulés les jeux quelques
heures auparavant — il se mit à chanter,
ralentissant le pas. Sa voix jaillit d'abord
timide et mélancolique, pour s'arrondir et
croître ensuite en un long appel, aussi tendre qu'enflammé. Il fredonnait sans paroles; c'est à peine si de temps à autre il prononçait un nom de jeune fille.
Somnolente, la forêt semblait l'écouter
légèrement frissonnante et inquiète, puis
rapidement apaisée. Tout en haut, au-dessus des arbres, une vague infinie de bruissements effarouchés s'envolait, les feuilles se rapprochant l'une de l'autre en
tremblant comme sous l'atteinte d'une
main invisible et sans repos. La voix d'Andronic portait très loin, renvoyée par les
troncs et ramifiée entre les feuilles.

« A-o-ooo-hou-ou-ou!... Ana-a-aaa!... »

La lumière de la lune traversait les frondaisons et se coulait directement sur l'herbe, faisant éclore partout des fleurs surnaturelles, aux éclats humides et imprécis. Andronic semblait éviter de marcher dessus, regardant précautionneusement où il posait le pied. Alors, sa voix se perdait, engloutie par la terre, et seuls des chuchotements incompréhensibles tremblotaient dans la forêt. Les feuilles paraissaient se retourner doucement sur lui, tellement son passage était troublant et chaude sa voix quand il se mettait à chanter. Parfois, des oiseaux invisibles s'éveillaient dans leur nid et l'on entendait des pépiements étouffés, de brefs appels alarmés. Andronic s'arrêtait en souriant, et levant la tête, leur faisait un signe de la main.

« N'allez-vous pas vous calmer, mes jolis? »

Le gazouillis se taisait brusquement dans la rumeur incertaine des branches hautes. Parfois, un grand papillon de nuit prenait son vol, comme effleuré par une aile de vent prête à le renverser, puis se posait paresseusement sur un tronc, les ailes sagement repliées. Le regard d'Andronic le suivait par instants, brillant dans les ténèbres comme deux charbons ardents. Il souriait alors, sous l'empire de joies inconnues, et repartait en chantant.

Devant un vieil arbre courbé, Andronic

s'arrêta avec grande attention et le mesura de haut en bas, comme s'il voulait se rendre compte si quelque chose avait changé dans son tronc et sa frondaison. Il enleva sa veste, la jeta sur l'herbe et se mit à grimper agilement, sans la moindre peine. Arrivé à la fourche la plus haute, Andronic se ménagea une percée entre les feuilles et tenta de regarder par-dessus la forêt. Mais il n'était pas encore parvenu tout en haut; il ne pouvait pas encore jeter un regard à la ronde par-dessus tous les arbres. Il retira sa tête et rampa sur les plus hautes branches. La fragile ramure tremblait sous son poids, mais ne crissait point. Il semblait se tenir davantage par les mains, sans laisser le poids du corps peser sur les branches. Comme s'il flottait entre les feuilles, et son corps était aussi léger que celui d'un oiseau. Quand il leva la tête, le ciel tout entier l'enveloppa. Un ciel de pierre, blanc, noyé de lune.

« Je ne suis tout de même pas tout seul! » s'écria Andronic, et il se mit à ramager.

Sa voix porta très loin, au-dessus de la forêt, et il l'entendit se perdre comme un écho. Cependant, personne ne lui répondit. Seul un grand oiseau prit son vol, toutes ailes déployées, et ondoya doucement par-dessus les arbres.

« Hououou!... » cria une fois encore Andronic.

Le même silence étonné de la forêt lui
répondit. Le même ciel serein et mort
au-dessus de lui. Méditatif, Andronic se
mit en devoir de redescendre. Il se laissait
couler légèrement, comme en se jouant,
de branche en branche, sans hésiter, sans
regarder où il allait. Il arriva rapidement
à terre, secoua sa chevelure, remit sa
veste et emprunta un autre chemin pour le
retour. Quand il traversa la clairière, il
chercha des yeux un buisson pendant
quelques instants et se dirigea vers lui
presque au pas de course. Il se jeta sur
l'herbe, posa l'oreille à terre et écouta.

« Personne! s'exclama-t-il en souriant.
Où sont-ils donc tous allés cette nuit?... »

Il se releva après avoir effleuré d'une
caresse légère les brins d'herbe, comme
pour leur demander pardon de les avoir
écrasés sous son corps.

« Peut-être bien qu'ils sont allés sur le
lac, nager », poursuivit Andronic.

Il hâta le pas. Quand il sortit de la forêt,
le vent avait commencé à se lever. Les
épis oscillaient au bord du chemin.
Andronic avançait en sifflotant, jusqu'à
atteindre le lac. Là, il s'arrêta de nouveau,
à l'écoute. De quelque part, au loin, on
entendait la sèche ondulation des roseaux.
Des cris ensommeillés, le coassement des
grenouilles et le crissement des sauterelles semblaient s'éteindre dans le silence
frémissant du lac. Les oiseaux eux-mêmes

ne s'éveillaient plus tout effrayés dans les buissons. Andronic s'efforça de scruter l'horizon. Rien ne se précisait sur le lac. Seule une légère brume était perceptible bercée par le vent. Le jeune homme fit quelques pas, comme en quête d'un endroit plus adéquat, et se mit à se déshabiller, impatient.

Dorina hésita longtemps avant de se décider de se montrer devant lui. Pourtant, il savait bien qu'elle était venue, et il ne la cherchait ni ne l'appelait. Elle le voyait très bien, là, presque nu, avec juste une large ceinture de soie lourde, brodée d'or, autour des hanches. Et pourtant, elle aurait dû le trouver prêt à partir, habillé. Ou peut-être ne l'avait-il pas choisie, elle... Pourtant, dans la farandole des jeunes filles inconnues, après les avoir toutes jaugées du regard, c'est à elle qu'il avait lancé le gage — une pomme d'or. C'était le signal, c'était elle qu'il avait choisie comme promise...

« Dorina! s'exclama Andronic étonné quand il la vit apparaître devant lui. Comme tu es belle!...

— Je t'ai attendu, murmura la jeune fille. On s'en va? »

Elle remarqua alors ses épaules nues, et baissa les yeux.

« De quoi as-tu peur? l'interrogea-t-il.

Tu sais bien que ce n'est pas possible autrement, seulement nu. Ainsi est-ce écrit...

— Moi aussi?

— Toi aussi... Mais plus tard, bien sûr », ajouta-t-il en souriant, en la saisissant par la main.

La jeune fille ressentit une nouvelle fois l'éclat de feu que provoquait en elle l'atteinte d'Andronic. Ce même frisson brusque, ce même plaisir étrange, inconnu.

« Tu sais nager? demanda doucement Andronic. Si la barque coule, tu sauras nager? »

Dorina s'agrippa à son bras, effrayée.

« Si tu me laisses tomber, je me noierai! s'écria-t-elle.

— Alors n'aie crainte, quoi qu'il arrive n'aie pas peur, l'encouragea Andronic. C'est une barque par delà la mort. Si tu savais combien de fois j'ai traversé les eaux jusque là-bas, et pour en revenir... Regarde! »

De son bras tendu il montra le lointain. Dorina ne vit rien, sinon cette même étendue d'eau sans fin, limpide, immobile.

« C'est loin? » demanda-t-elle, soumise.

Andronic se mit à rire et la serra plus fort contre lui.

« Rien n'est loin quand on aime, murmura-t-il. Tu vas t'installer tranquillement au fond de la barque. Nous passerons neuf mers et neuf terres, et après, ce seront les épousailles...

— Si tard, dit Dorina subitement attristée. Que de choses peuvent se passer jusque-là, ajouta-t-elle, songeuse.

— Pourquoi es-tu pressée? demanda gentiment Andronic. Ici, chez nous, les jours passent vite, comme les instants. Si tu es parvenue jusqu'ici, il n'y a plus de retour possible pour toi. Et c'est plus beau ici, non?...

— C'est beau partout où tu es », répondit la jeune fille.

Elle se tut brusquement en le regardant. Qu'il était beau, si svelte, si grand! Comme s'il n'était plus un homme, mais un dieu, le fils du dragon des légendes.

« Pourquoi as-tu quitté le palais? interrogea-t-elle. Pourquoi es-tu revenu ici, au bord de l'eau?...

— Tu n'as pas pu rester là-bas, tu as eu peur... De quoi as-tu eu peur? Tous ces gens là-bas, ils sont morts depuis longtemps, ils ne pouvaient rien te faire, tu n'as pas vu?...

— Moi aussi j'étais là-bas, chuchota la jeune fille avec terreur. J'étais sur un trône, cachée par les autres...

— Oui, répondit sereinement Andronic, c'est ce qui arrive toujours... »

Dorina ressentit la même épouvante et se serra plus fort contre lui. Comme si elle voulait qu'il la tranquillisât, qu'il la caressât.

« Sois sans crainte, dit-il, moi aussi je suis ici. Nous ne nous séparerons pas... »

Il regarda alors l'eau. La barque attendait là-bas, près d'eux, depuis fort longtemps. Toutes ces choses paraissaient familières à Dorina; et ces préparatifs de voyage, il lui semblait les avoir déjà vécus une fois, il y a très longtemps.

« Où a lieu la noce? demanda-t-elle encore une fois.

— A l'autre bout... »

Il la prit par la taille et la mena doucement près de l'eau.

« Ce n'est pas possible autrement », la rassura Andronic.

Il fit un pas, et la barque oscilla. Puis, la portant presque dans ses bras, il fit monter Dorina. Ce bercement fut si inimaginablement tendre que la jeune fille en eut le vertige, et se prit la tête entre ses mains. Andronic était près d'elle. Avant de saisir les rames, il lui montra l'étendue devant elle.

« Là-bas, au milieu, il y a une île. C'est là que j'étais... »

Subitement, sans savoir pourquoi, Dorina se souvint du serpent et frémit. Elle le verrait de nouveau, nu et infatigable, tressaillant sous la lumière de la lune, comme elle l'avait vu au début. Et cette fois-ci, par inadvertance, dans l'obscurité, il pourrait la mordre...

« Mais dans l'île, il y a le serpent! s'ex-

clama-t-elle, troublée. C'est toi qui l'a
chassé là-bas, toi-même!... »

Elle vit sur-le-champ Andronic se lever
dans la barque, blême et courroucé. Son
regard étincelait encore plus ardemment,
et des lumières dansaient dans ses yeux,
qui l'aveuglaient.

« Pourquoi as-tu dit cela, ma bien-ai-
mée? » dit tristement Andronic.

Ses paroles résonnaient à ses oreilles,
comme crachées par la bouche d'un dragon.

« Pourquoi n'as-tu point obéi au
commandement? » répéta-t-il en tremblant.

Dorina se souvint : Ne prononce surtout
pas ce mot devant lui! Elle avait oublié.
C'était trop tard maintenant. Elle avait
oublié... Elle le regardait, pétrifiée, écra-
sée par sa puissance, dans l'attente de la
malédiction. Elle se couvrit les yeux de la
paume.

« Neuf ans tu me chercheras, et c'est
seulement alors que tu me trouveras! »
résonna la voix d'Andronic.

Mais quand elle voulut le regarder de
nouveau et implorer sa clémence, elle vit
la barque vide. Andronic s'était évanoui.
Devant elle, il n'y avait que l'étendue sans
fin des eaux. Elle demeura muette, épuisée, sans savoir que faire. Au même instant, elle entendit les feuilles bruire sur la
rive, et elle tourna la tête. Il n'y avait

personne. Seul le vent, en se gonflant, faisait frémir les hautes branches des arbres...

Elle s'éveilla avec le même bruit amer dans les oreilles. La chambre était à demi plongée dans les ténèbres. La lumière de la lune s'était éloignée de la fenêtre. Dorina comprit que le vent pénétrait à présent en tremblant dans la pièce. Elle se leva du lit et s'approcha de la fenêtre. Au loin, sur la gauche, on entrevoyait le lac. La jeune fille sourit. Elle retourna vers le lit, sans reconnaître l'endroit. Elle regarda avec étonnement les femmes qui dormaient près d'elle. Doucement, mais avec des gestes sûrs, comme dans le sommeil, elle se fraya un passage entre les lits. Elle trouva sans peine la porte, sans la chercher. Elle entendit des bruits bizarres de l'autre côté du mur, qui lui firent peur. Des respirations profondes et étouffées, comme celles d'hommes torturés. Mais elle ne perdit pas courage, et, les yeux fermés, elle traversa la salle jusqu'à la porte du dehors. Elle était à moitié ouverte. Elle sortit dans la cour. Elle ne sentit pas le froid sous ses pieds nus, ni le vent frais sur ses épaules à demi nues. Elle partit du même pas décidé vers le lac.

Quand elle descendit le monticule et arriva à la berge, elle trouva la barque qui l'attendait. Juste comme elle venait de la laisser, peu auparavant, dans son rêve.

Ses pieds s'enfonçaient maintenant profondément dans la vase humide et froide, sans qu'elle ne sente rien. Pressée, mais attentive, elle ôta la corde du pieu, la jeta dans la barque, puis y monta. Décidée, elle chercha l'île des yeux et se mit à ramer moelleusement, tendrement, comme quelqu'un qui part avec, pour tout bagage, l'espérance...

XIV

Liza s'éveilla sous la morsure du froid, frissonnante. La fenêtre était grande ouverte, et l'on pressentait l'approche de l'aube dans le souffle humide du vent, dans la senteur métamorphosée de l'air. La lune avait pâli. L'obscurité commençait à se disloquer, et l'on voyait comme une buée trouble au-delà de la fenêtre, dans le lointain.

Liza s'éveilla étourdie, comme après une longue nuit de fête. Elle eut du mal à saisir où elle se trouvait et en quelles circonstances elle s'était endormie à moitié habillée, avec tellement de monde à ses côtés. Elle demeura longtemps les yeux ouverts, sans pouvoir se couvrir comme il faut, tremblante. Elle eut l'impression qu'au moment où elle s'était éveillée, quelque part, à proximité, une cloche de bois avait tinté. Elle avait un sentiment inconfortable de réveil dans une chambre étrangère, incommode; elle se sentait en

même temps écœurée, fatiguée et flouée
par la vie. Rien n'avait de sens, elle
n'attendait aucune joie de nulle part. Un
bref gazouillis enroué sembla jaillir tout
droit de la traverse de la fenêtre. Peut-être
devrait-elle fermer cette croisée... Mais
c'était si difficile, et tellement vain...

Elle tenta tout de même de mieux se
couvrir, en tirant fortement l'édredon.
Elle remarqua que sur sa gauche, la place
était vide. Dans son sommeil, Riri avait
enfoncé sa tête dans cette place vide et
ramassé ses genoux. Liza tourna la tête,
regardant avec étonnement les autres femmes. Elle les devinait plutôt, et elle se
frotta les yeux à plusieurs reprises pour
les distinguer. Isolés, les événements surgissaient dans sa mémoire. Elle se souvint
brusquement de Serge Andronic, des
courses dans la forêt. Puis un trou nébu-
leux, un sentiment d'égarement humi-
liant. Il y avait eu un jeu... Une farce...
Puis encore autre chose... Le capitaine
Manuilà... Dorina... le serpent... Son
regard buta une fois encore sur Riri, qui
dormait les poings serrés près de la bouche, et elle tressaillit. Dorina?...

Elle eut alors la sensation précise
d'avoir assisté, quelques minutes à peine
auparavant, au départ de Dorina de la
chambre. Sans doute était-elle allée chez
Andronic, dans l'autre chambre. Cette
pensée l'émut brusquement, de pudeur

humiliée, de frayeur, de jalousie et de curiosité. C'est seulement en se relevant à demi sur le lit, pour scruter une fois encore les corps endormis afin de se rendre compte si elle se trompait, qu'elle se souvint de Stere et des autres. Bien sûr qu'ils dorment tous ensemble. Alors, peut-être que Dorina... Mais elle se souvenait avec précision, sans pouvoir toutefois fixer de temps à ce souvenir, que Dorina s'était réveillée furtivement tandis que les autres dormaient profondément, et qu'elle avait quitté la chambre pour rencontrer dehors, dans la cour, peut-être Andronic...

Elle tendit l'oreille quelques instants, pour surprendre des bruits, des chuchotements. Seuls lui parvenaient les respirations étouffées des femmes, et des sons pesants, ronflants, de l'autre chambre. Liza se décida brusquement, affolée. Elle sortit du lit, se gardant de toucher le corps recroquevillé de Riri, et se précipita à la fenêtre. Elle se pencha fort, en avant. Elle reçut en plein visage une odeur fraîche de feuilles cueillies, de tronc éventré. Le ciel était encore bleu, pâle vers les confins. Sur la gauche, vaporeux, on entrevoyait le lac. Liza écouta quelques secondes, puis retourna dans la chambre et se dirigea vers la porte. Elle était entrouverte. N'importe qui aurait pu entrer... Un gémissement. Elle frémit. Puis elle s'aperçut qu'elle avait eu peur pour rien.

Mme Zamfiresco avait soupiré dans son sommeil. Elle dormait, recouverte de son manteau. Liza lui jeta un bref regard, dégoûtée. De la chambre voisine, les ronflements des hommes montaient à présent plus denses, plus grotesques. Andronic serait-il là-dedans?...

Elle revint à son lit, indécise et émue. Dans ma chevelure autrefois blonde... Le refrain persistait, absurde, dans son souvenir, sans qu'elle ne puisse le chasser : Je n'ai pas eu d'enfance... De nouveau le visage de Stamate, le capitaine. Les baisers dans la forêt. Elle eut honte, honte d'elle-même, de tous et de tout ce qui s'était passé. Je n'ai pas eu d'enfance... Sans rime ni raison, des scènes et des phrases de Fierbintsi, dans le jardin, lui revenaient à l'esprit. Stere en train d'enlever sa veste, de marcher nonchalamment pour l'accrocher à la branche d'un cerisier... Solomon en train de demander, une main en l'air : Qui veut encore un café?... Et après, de but en blanc, sans la moindre transition, la voix d'Andronic : Si vous ne vous taisez pas une minute... Ses paroles à lui, un peu auparavant : Autre chose me trouble. Si je vous le dis, vous allez vous moquer de moi... Elle avait alors voulu le saisir par la main et lui avait chuchoté : Je te le jure!... Les détails s'enchaînaient avec précision dans sa mémoire. Avec quelle froideur il avait accueilli son exclamation passionnée. Maintenant, elle avait honte, mais en même temps, elle en voulait à Andronic, elle lui en voulait obstinément pour tout ce qu'il avait fait, pour sa beauté impétueuse. Dorina n'est pas revenue. Elle est partie avec lui, naturellement. Elle comprenait tout ce qui s'était passé : la nuit, quand les autres s'étaient endormis, ils se sont rencontrés tous les deux dans la cour, puis ils sont partis tout seuls dans la forêt. Dans la forêt, la nuit. Il a couché avec Dorina. Une fureur incompréhensible, une envie de scandale l'envahit. Elle se mit à trembler. Hors d'haleine, elle s'approcha de Mme Solomon et se mit à la secouer. La femme résistait, gémissait. Liza se retourna vers Riri et la réveilla brusquement, en secouant l'édredon. Puis elle se tourna à nouveau vers Mme Solomon.

« Lève-toi! Je ne sais ce qui est arrivé à Dorina! » murmura-t-elle.

Mme Solomon se réveilla péniblement. Elle n'arrêtait pas de se frotter les yeux.

« Je ne sais pas où est partie Dorina », répéta Liza plus fort, en se rapprochant encore davantage.

Riri non plus ne comprenait rien à ce qu'elle entendait. Elle avait sommeil, elle avait la nausée; une douleur sèche à la fontanelle. Elle se prit les tempes dans les mains, s'évertuant à comprendre où elle

se trouvait. A côté d'elle, elle aperçut
Mme Zamfiresco. Elle eut soudain peur,
une peur stupide, que la fille à côté
entende tout ce qui se disait, qu'elle soit
réveillée depuis longtemps, comprenant
tout et feignant de dormir.

« Plus bas, qu'on ne nous entende pas,
murmura Riri à Liza.

— Tu ferais mieux de t'habiller, pourvu
qu'il ne lui soit rien arrivé, dit Liza tout
en cherchant ses chaussures.

— Mais qu'est-ce qu'il y a, ma chère? »
s'étonna Mme Solomon.

Mme Zamfiresco s'éveilla à son tour.
Elle leva la tête et tenta d'arranger ses
cheveux, tombés sur ses yeux.

« Que s'est-il passé? interrogea-t-elle,
surprise.

— Je crois que Dorina ne se sent pas
bien, dit Liza agacée, et elle est sortie de
la chambre. Je voudrais aller voir... »

Riri s'habilla en silence, tout en respirant profondément pour se réveiller. Elle
avait l'impression de se préparer à une intervention décisive dans des conditions
étranges et périlleuses. Elle avait le sentiment que la vie de Dorina dépendait de sa
volonté et de son courage à elle, et elle en
venait à prendre en pitié cette pauvre
Dorina, à soudain l'aimer éperdument...

« Allons-y! dit Liza à Mme Solomon.
Voyons, elle est peut-être dans la cour. »

Mme Zamfiresco resta au lit, ébahie,

stupéfaite. Elle jeta un regard effrayé vers sa fille. Elle la repéra à l'autre bout de la pièce, en train de dormir profondément, et elle se tranquillisa.

Dans la chambre, il faisait froid. L'aube se levait. Mme Zamfiresco se souvint subitement du serpent d'hier soir. Elle n'avait plus peur. Mais elle se signa à la dérobée, et se prépara à écouter, curieuse.

Seule Liza pénétra dans la chambre des hommes. Après avoir ouvert la porte avec d'infinies précautions, elle se contenta de passer la tête. Une odeur lourde, oppressante, de respiration avinée, la frappa de plein fouet, et elle baissa les paupières, rebutée. Elle appela son mari à plusieurs reprises. Elle ne distinguait guère les corps des hommes.

Cette chambre semblait plus sombre, car les fenêtres donnaient sur la cour. Pendant quelques minutes, seuls lui répondirent les ronflements étouffés sur les matelas. Puis la voix de Stamate, pâteuse :

« Qui est-ce?

— Réveillez Stere s'il vous plaît, murmura Liza sur le seuil. J'ai quelque chose à lui dire... »

Stamate eut lui aussi du mal à comprendre. Un instant, il ne sut plus très bien qui pouvait être Stere. Il se croyait ailleurs,

avec d'autres personnes, à une autre époque. Sans le vouloir, il réveilla son ami.
Le capitaine bâilla bruyamment, ignorant
que Liza les regardait sur le seuil.

« Réveillez Stere s'il vous plait », répéta
Liza, plus fort.

Manuilà entendit sa voix et se leva brusquement, honteux. M. Solomon s'éveilla
également.

« Il s'est passé quelque chose, madame? demanda le capitaine.

— Je crois que Dorina s'est sentie mal,
chuchota Liza en se retirant. Essayez, je
vous prie, de réveiller Stere aussi... »

Puis elle se souvint qu'elle n'avait rien
demandé à propos d'Andronic. Elle ne
savait même pas s'il était là-bas, dans
cette chambre, s'il s'y était endormi d'emblée... Elle avait cependant honte d'ouvrir
une nouvelle fois la porte et de poser la
question. Elle pourrait éveiller des soup-
çons.

« Que s'est-il passé? interrogea M. Solomon, en sortant à moitié habillé dans la
salle.

— Je ne sais pas où est Dorina... »

M. Solomon demeura un moment stu-
péfait, sans saisir le sens des mots.

« Allons la chercher, peut-être s'est-elle
sentie mal et est-elle sortie dans la cour »,
murmura Riri.

Sur ces entrefaites, la porte s'ouvrit et
le capitaine fit son apparition. Il avait

essayé à la hâte de s'arranger, mais ses cheveux étaient ébouriffés.

« Ce qui est le plus étrange, dit-il, c'est que M. Andronic non plus n'est pas là... »

Il lança un regard significatif à M. Solomon. Riri se dirigea vers la porte d'entrée. Elle la trouva ouverte. Elle arriva la première dans la cour. Ici, l'air était tout autre. On voyait encore très bien les étoiles, mais ce grand silence avait maintenant une signification différente. C'était une crispation suprême, les derniers instants d'attente : bientôt, tout allait s'effacer, quelque chose de neuf allait arriver, qui ne participait plus de la nuit.

« Nous ne savons même pas l'heure qu'il est, chuchota M. Solomon ahuri, en descendant dans la cour.

— Trois heures vingt-cinq », dit Stamate qui portait sa montre au cadran phosphorescent.

Mme Solomon et Liza parcoururent d'un regard rapide la cour du monastère.

« Elle n'est pas là, déclara Liza avec assurance.

— Peut-être est-elle allée se promener dans le parc », hésita Riri.

Le capitaine Manuilà scrutait calmement chaque recoin, sans bouger de sa place. Il semblait réfléchir attentivement à tous les coins où Dorina aurait pu se cacher. Il lui parut un instant que c'était

tout simplement la suite du jeu de la forêt,
et ces souvenirs l'humilièrent. Il tourna
brusquement la tête vers le lac.

« Nous devrions d'abord la chercher
là-bas », dit-il d'une voix forte, en montrant le lac.

Riri frémit. Non, ce n'était pas possible,
ce serait trop...

« Dieu nous garde! » dit M. Solomon.

Liza n'attendit plus qu'ils prennent une
décision, elle fut la première à partir, sui-
vie de Stamate et Riri.

Une fois sortie de la cour du monastère,
elle se mit à courir. Il lui semblait que le
moindre instant perdu pouvait être fatal.
N'importe quand, Dorina aurait le temps
de se cacher...

« Je ne sais même pas si cet Andronic
s'est couché ou non en même temps que
nous », entendit-elle la voix de Manuilà,
derrière elle.

Elle dévala le monticule et arriva au
bord du lac. Elle remarqua très vite que
la barque n'était plus là. Elle se dirigea
vers le pieu tordu qui la retenait auparavant à la berge.

« Elle est folle! s'exclama Liza. Elle a
pris la barque... »

Bien évidemment, ils sont allés se promener tous les deux. Ils se sont promenés
toute la nuit, ils se sont bercés, et il lui a
murmuré des mots d'amour : Je n'ai pas
eu d'enfance!... Blême, Liza courait sur la

rive, essayant de distinguer la forme de la barque.

« La voilà! » cria Riri sur le tertre.

Tous se retournèrent vers l'endroit qu'indiquait la jeune fille. Maintenant, on voyait bien la barque, et Dorina à moitié vêtue, seule, en train de ramer lentement, péniblement.

« Elle est seule! » cria Liza, interdite.

Elle aussi la voyait très bien, et elle n'en croyait pas ses yeux. Quelques instants, elle eut peur de comprendre. Cette Dorina est folle!... Dieu! Et si jamais?... Elle n'eut pas le courage d'aller jusqu'au bout de sa pensée. Elle se remit à courir sur la rive. Les autres regardaient médusés, suivant du regard le léger sillon que laissaient les rames de la barque.

« Mais elle est folle! s'exclama derechef Liza.

— Elle se dirige vers l'île », constata Stamate calmement.

M. Solomon s'évertuait à prendre une décision. Il regardait de tous côtés, effaré.

« Il faut chercher encore une barque! murmura-t-il en se mordant les lèvres. Il doit y avoir encore une barque quelque part... »

Il se souvint : Haralambie, l'autre barque du prieuré, avec laquelle ils étaient partis le chercher. Il sentit une sueur froide perler sur son front, sur sa nuque.

Et soudain, sauvagement, il se met à crier :

« Dorina! Dorina!... »

Stamate met ses deux mains en porte-voix à la bouche et crie :

« Do-ri-naaa!... »

Les cris de Vladimir durant le jeu lui reviennent alors en mémoire : Liza-a-aaa!... Toutes ces choses lui semblent s'être déroulées il y a longtemps, avec d'autres personnes. Maintenant, il a froid et il tremble. Ses cris ne s'entendent probablement pas sur le lac, car la jeune fille ne tourne même pas la tête.

« Regardez, là-bas! » dit soudain Liza.

De l'autre côté du lac, on apercevait un homme nager. On voyait ses bras musclés frapper l'eau à un rythme cadencé.

« C'est lui, Andronic! » s'exclama Manuilà.

Durant quelques instant, ils se taisent tous, sidérés. Sans peut-être rien savoir de Dorina, Andronic nageait lui aussi en direction de l'île.

XV

Une fois sur la rive, Andronic s'ébroua
et d'un pas nonchalant, se dirigea vers le
cœur de l'île. Son pied laissa quelques
empreintes sur le limon battu par le sable,
puis l'herbe les fit disparaître. Andronic
avançait lentement, sans hâte, en jetant
des regards à la ronde par-dessus les
arbres, comme s'il essayait de deviner
l'approche de l'aurore au frisson des feuilles. Ici, au milieu de l'eau, il y avait un
souffle léger de vent, mais le jeune
homme semblait ne pas sentir cette brise
froide sur ses épaules nues. Les oiseaux
commençaient de s'éveiller dans les buissons et leur gazouillis solitaire animait
l'île. Andronic cheminait, ensorcelé de
solitude, de l'air tourmenté comme dans
l'attente d'un grand miracle. Il s'était
aventuré profondément dans les arbres, là
où les touffes poussaient, humides, avec
de larges feuilles non écloses. Au cœur de
l'île, cela sentait la mousse et l'écorce

pourrie. A présent, les branches étaient
plus lourdes et les gouttes de rosée paraissaient les attirer vers la terre. Andronic
les traversait, indifférent à la rosée, sans
sentir la rude caresse des feuilles. Il
s'enfonçait toujours plus loin dans la
forêt, comme à la recherche d'une chose
très bien cachée, qu'il s'évertuait à découvrir en fouillant des yeux arbres et buissons. Il trouva un monticule où seuls
avaient poussé un acacia maigrichon et
quelques caroubiers sauvages, qu'il esca-
lada d'un pas pressé. Au sommet, il
regarda le lac, interrogateur. Il demeura
un moment sans bouger, en respirant profondément, largement, comme s'il dormait, puis il descendit de l'autre côté et se
dirigea vers l'eau.

Sans hâte, avec attention, il se chercha
un endroit dans l'herbe où il pourrait
s'allonger en toute quiétude. Il le découvrit au bout d'un vallon. Ici, l'herbe avait
poussé haute et moelleuse, l'eau s'y
faufilait pareille à une source vouée à disparaître d'un instant à l'autre. Du bout du
pied, Andronic tâta doucement pour voir
jusqu'où s'étendait l'humidité, puis il se
jeta sur l'herbe, heureux, la tête sur les
bras. Il demeura un temps ainsi, sans
même avoir froid ni sommeil, le regard
posé sur le ciel.

Dorina ne s'éveilla que lorsque la barque s'échoua sur la vase, s'arrêtant en un soubresaut alangui. Elle se mit à trembler en se voyant soudain au milieu du lac, loin de la rive, dans cette obscurité transparente. Néanmoins, elle tremblait davantage de vent et de solitude que de crainte. Un calme étrange était descendu dans son âme au moment de son réveil décisif. C'était comme si elle s'apprêtait à une grande mutation, et des rivages insoupçonnés surgissaient en elle, l'avertissant du passage à un autre plan. Elle sauta de la barque et se mit à examiner les rives de l'île. Elle devait le trouver quelque part. Andronic ne mentait pas : ses paroles se confirmaient toujours, il devait être quelque part, à proximité, à l'attendre...

La jeune fille décida de faire le tour de l'île. Elle ne sentait pas, sous ses pieds nus, l'âpreté des herbes folles ni l'humidité de la terre. La lassitude de sa longue course malhabile à la rame s'était évanouie comme par un coup de baguette magique dès qu'elle avait pris pied sur l'île. Depuis longtemps, ses yeux s'étaient accoutumés à l'obscurité transparente de la fin de la nuit. Quand elle commença à marcher sur la terre pleine, elle ne perçut plus le souffle du vent. Elle ne ressentait plus qu'une joie étrange, enivrante et indéfinie, qu'elle n'essayait d'ailleurs pas de détailler; comme si l'harmonieux passage

du rêve à la réalité de l'île envahie
d'herbes et d'arbres inconnus lui ouvrait
soudain une voie nouvelle, divine, sur
laquelle elle pouvait s'engager. Toutes ces
choses-là pouvaient être vraies... Son
corps lointain et inconnu pouvait se délas-
ser sur l'herbe humide en cette fin de nuit.
Pas la moindre douleur, pas la moindre
crainte, pas la moindre timidité — rien
qu'une joie accablante et amère de tout
son être profond; comme si elle s'était
éveillée avec une âme autre, jamais
soupçonnée, et un autre corps, plus heureux, plus divin...

A chaque pas qu'elle faisait autour de
l'île, cette puissance inconnue qui fleuris-
sait dans son sang et dans sa chair croissait plus fort dans le secret de son être,
modifiant sa respiration, son rythme, son
esprit. Tout pouvait maintenant arriver.
Des oiseaux d'or et de merveille pouvaient
s'élancer de ces branchages endormis, et
l'appeler par son nom. A tout moment, les
troncs d'arbres pouvaient s'animer et se
transformer en géants ou en dragons.
Sous terre, il y avait des nains aux barbes
blanches, et les bêtes parlaient entre
elles... Rien ne l'aurait effrayée, ni une
rencontre, ni un miracle. Même cette obscurité sur le point de s'évanouir à chaque
seconde, engloutie par la terre et l'eau, lui
paraissait miraculeuse; comme si un
secret jusque-là incompris apportait de

quelque part la lumière, et cette métamor-
phose du monde entier lui semblait à présent stupéfiante.

Devant elle, très près, un oiseau
s'envola, s'en allant à tire-d'aile par-dessus le lac. Dorina le suivit des yeux, et son
souffle s'accéléra un instant. L'oiseau
vola doucement au-dessus d'Andronic; les
yeux de la jeune fille le découvrirent en
entier, d'un coup, allongé sur l'herbe, le
regard au ciel. Elle hâta le pas en se dirigeant vers lui. Le ravissement de tout son
être croissait, harmonieux, enrichissant,
sans limite.

« Je suis venue! » murmura Dorina en
s'approchant.

Andronic tourna la tête et la contempla
en souriant, sans le moindre tressaillement.

« Je t'attends depuis minuit, dit-il. Je
t'ai cherchée dans la forêt, je t'ai appe-
lée... »

Dorina se mit à rire. Elle le regarda une
fois encore droit dans les yeux, puis son
regard glissa doucement, sans crainte ni
timidité, le long de son corps. Qu'il est
beau mon bien-aimé!

« Qu'as-tu fait jusqu'à présent? questionna Andronic en levant légèrement la
tête.

— Je crois que j'ai rêvé, chuchota
Dorina en cherchant une place près de lui.

— Vous êtes comme ça, dit Andronic

d'une voix traînante. Vous comprenez difficilement... »

Dorina s'installa tout près et resta assise, essayant d'ordonner ses cheveux.

« Ainsi donc, c'est cela, l'île, dit-elle, heureuse, en lançant un regard à la ronde.

— N'est-ce pas qu'elle n'a pas son pareil tellement elle est belle? » interrogea Andronic.

La jeune fille hocha la tête, les yeux fermés. Un sourire enchanté illumina son visage.

« Toi aussi tu es belle, ajouta Andronic, après l'avoir longuement regardée, comme s'évertuant à pénétrer tout ce qui était inconnu et vivant dans sa nature intime. Pourquoi tu n'enlèves pas ces chiffons? »

Il montra sa chemise. Dorina se regarda, étonnée, comme si elle comprenait seulement maintenant qu'elle était encore à moitié vêtue.

« Tu as raison, j'avais oublié! » murmura-t-elle en souriant.

Elle se leva d'un seul coup et sortit en se secouant de sa chemise. Elle était nue maintenant, mais aucun embarras ne troublait son regard, aucune bouffée de sang n'empourpra son visage. Elle se regarda un instant, puis s'approcha de l'eau. Ses cuisses étaient maculées de boue, de sable sale. Lentement, tâtant le fond du pied, la jeune fille avança dans

l'eau jusqu'à la taille. Puis elle hésita et
tourna la tête vers Andronic, qui était
resté sur la rive et la suivait du regard en
souriant.

« J'ai peur d'aller plus loin », cria-t-elle
en levant le bras.

Andronic se leva brusquement et entra
à son tour dans l'eau. Il marchait d'un pas
décidé, faisant lever des gerbes bruyantes.
En quelques instants, il fut près de
Dorina.

« Tu ne sais pas nager? » demanda-t-il.

La jeune fille fit signe de la tête que non,
tout en s'attristant comme une enfant.

« Ça ne fait rien, je t'apprendrai, la tranquillisa Andronic. Seulement, il ne faut
pas avoir peur... Tiens-toi à moi... »

Il la prit par la main et l'entraîna, doucement, jusqu'à ce que l'eau lui arrive à
la poitrine. Andronic s'élança sur le ven-
tre, tandis que le bras de la jeune fille s'ac-
crochait à son dos. Dorina avait laissé sa
tête dans l'eau, après avoir tenté de rire.
L'eau avait envahi sa bouche, ses oreilles,
son nez, et cette pression inconnue lui
plaisait, qui lui coupait la parole.

« Tu as peur? » l'interrogea derechef
Andronic.

Dorina n'entendit point. Elle se sentait
surnager, portée par un bras vigoureux,
pressée par tant de forces qu'elle s'était
pleinement abandonnée. Elle ne percevait
qu'un doux glissement au-dessus de cette

eau chaleureuse et sans limite. Elle
s'étonna presque au moment où, essayant
de reprendre pied, elle ne toucha pas
terre. Mais son étonnement se mua rapidement en un sentiment enchanteur de
liberté et de puissance.

« Comment vas-tu? » lui demanda une
fois encore Andronic, sans recevoir de
réponse.

Alors, il la ramena, tout aussi tranquillement, tout aussi puissamment, sur la
berge. Tous deux sortirent de l'eau en
riant. Dorina le regarda droit dans les
yeux et se rapprocha ardemment de lui.

« Ce n'était pas difficile, murmura-
t-elle.

— Je t'apprendrai aussi à grimper aux
arbres, lui dit Andronic. Mais il faut
d'abord leur demander la permission. Il y
en a qui sont vieux ou malades, et ça leur
fait mal... Alors, ils te jettent à terre...

— Mais comment reconnaître ceux qui
sont malades? interrogea Dorina.

— On les entend se lamenter, ou on les
voit pleurer... Les pauvres... Avec les
vieux et les malades, c'est plus difficile... »

Ils s'assirent tous deux sur un tertre,
au-dessus du vallon. Andronic appuya sa
tête contre les genoux de la jeune fille.
Sans s'en rendre compte, la jeune fille se
mit à lui caresser les cheveux.

« Avec les fleurs aussi, c'est difficile,

poursuivit Andronic. Elles sont perpétuel-
lement amoureuses... Tu devrais voir
comme elles pleurent!... »

Il se mit à rire. Il leva les yeux sur
Dorina et la regarda intensément.

« Comment tu t'appelles? lui demanda-
t-il.

— Dorina. »

Andronic demeura quelques instants
perdu dans ses pensées. Il semblait
s'efforcer de se souvenir où il avait déjà
entendu ce nom-là.

« Et toi, tu t'appelles comment? »
demanda en un murmure Dorina en lui
caressant le front.

Andronic sourit tristement, et son
regard se perdit de nouveau dans le vide.
Dorina attendit, patiente, qu'il revienne.

« Tu t'appelles Serge, n'est-ce pas?
insista-t-elle.

— Si tu veux, répondit Andronic en souriant, en la regardant étonné au fond des
yeux.

— Serge est un beau nom, dit Dorina. Si
j'étais un garçon, j'aurais aimé m'appeler
Serge... Comme toi, ajouta-t-elle.

— N'y songe plus, l'interrompit Andronic en lui prenant le bras et en la caressant. Tu n'es pas un garçon, tu es une
fille...

— C'est pas drôle, d'être fille », dit
Dorina.

Andronic éclata de rire. Il lui serra fortement le bras et lui passa la main dans les cheveux.

« Et si tu n'étais qu'un malheureux ver luisant? » lui demanda-t-il pour la taquiner.

Il se tut soudain et chercha derechef ses yeux; comme s'il voulait parler directement à son être profond, véritable.

« Tu ne sais pas ce que cela veut dire, être humain, poursuivit-il pensif. C'est si bon... »

Il tendit les deux bras, comme deux ailes, et rejeta la tête en arrière.

« Ne jamais mourir, dit-il en regardant le ciel. Etre comme cette étoile, belle et immortelle... »

Il montra du bras l'étoile du matin. Dorina tressaillit.

« De quoi as-tu peur? s'étonna Andronic.

— De la mort, chuchota Dorina.

— Là-bas aussi, il y a des hommes, sourit Andronic. Partout il y a des hommes...

— Tu sais tout, n'est-ce pas? l'interrogea tranquillement Dorina. Tout ce que tu dis est vrai... »

Andronic ne répondit point. Il était resté le regard rivé sur l'étoile du matin. L'aube commençait à percer. Toutes les autres étoiles avaient disparu, et le ciel était devenu blanchâtre.

« Où habites-tu? lui demanda Dorina, s'efforçant de le réveiller.

— Là-bas, Andronic indiqua la forêt au bord du lac. Et toi, tu habites où? »

Dorina réfléchit quelques instants. Elle essaya de se rappeler du rêve avec précision, pour ne pas dire quelque chose de trop vague.

« A Bucarest, répondit-elle correctement.

— Et qu'est-ce que tu fais là-bas? »

Andronic avait souri en lui posant la question. Son visage étincelait : il semblait difficilement contenir son rire.

« Je vis », répondit Dorina, embarrassée.

Andronic se mit à rire, secoué d'une joie sauvage. Il se leva et saisit la jeune fille dans ses bras. Il paraissait porter un rameau, tant son fardeau était léger.

Il continuait de rire, le corps de la jeune fille dans ses bras, la portant toujours plus haut — comme s'il voulait le montrer au ciel, à la forêt, à la lumière qui commençait de sourdre de toutes parts. Dorina se colla à sa poitrine. Andronic la lança encore quelques fois en l'air, puis se mit à courir avec elle vers le cœur de l'île. Il sautait par-dessus les buissons et les trous en une course effrénée, marchant sur les branches desséchées, se heurtant aux herbes hautes et rugueuses, vainqueur des buissons d'épines fibreux et enivrants.

Dorina ferma les yeux, effrayée et heureuse. Elle ressentait parfois une griffure ardente sur le corps, mais la douleur elle-même n'avait rien de comparable au rythme nouveau, délirant, que connaissait maintenant sa vie. Elle entendait le sang d'Andronic battre dans sa poitrine, elle percevait les battements de son cœur puissant, assourdissants. La chaleur de son corps était irréelle, grisante. Puis un temps, elle ne sentit plus qu'un envol sur les ailes du vent dans le vide. Elle en perdit presque la mémoire; elle n'osait pas ouvrir les yeux, pour voir où elle se trouvait...

Quand elle s'éveilla pour de bon, elle était étendue sur la plage de l'autre côté de l'île. On voyait la barque avec laquelle elle était venue, la quille fichée dans la vase. Près d'elle, Andronic la contemplait, d'un regard étincelant, embrasé. De grosses gouttes de sueur limpide coulaient sur son corps. Sa poitrine battait fort. Ses cheveux humides avaient glissé sur son front.

« Le jour se lève, dit-il dès que la jeune fille ouvrit les yeux.

— Je suis si fatiguée, chuchota Dorina. Comment as-tu eu tellement de force?

— Allons voir le soleil se lever », lui dit Andronic, oubliant de répondre.

Il l'aida à se relever et la prit par la main. La jeune fille marchait paresseusement près de lui sans percevoir la terre. Ses boucles flottaient, défaites par la course, sur ses épaules. Un de ses bras portait une égratignure sanglante.

« Montons sur la colline », dit Andronic.

Il la porta jusqu'au sommet, qui n'était pourtant pas très haut. Il lui trouva un endroit commode pour s'asseoir et l'installa doucement, attentivement.

« J'ai sommeil, mon bien-aimé, murmura Dorina, le regard suppliant.

— Regardons d'abord le soleil se lever... »

Il s'assit à côté d'elle et lui caressa les cheveux en souriant.

« Que tu es belle quand tu as sommeil, reprit Andronic.

— C'est toi qui me rends belle, dit simplement Dorina. Quand tu m'as choisie, je n'étais pas comme ça...

— Tu étais laide alors », sourit Andronic.

Il se tut, méditatif, les yeux fixés sur l'orient. Là-bas le ciel avait rougeoyé, puis pâli dans son attente.

« Tu as déjà été dans le soleil? demanda Dorina, somnolente.

— Non, jusque là-bas, c'est difficile », répondit Andronic sans se retourner.

Dorina ferma les yeux, heureuse. Elle avait posé sa tête sur un bras, et de l'autre, elle avait enlacé Andronic par la taille.

« Ne t'endors pas, murmura-t-il. C'est dommage...

— C'est encore long? interrogea Dorina, encore plus lasse.

— Pour celui qui aime, ce n'est jamais long », dit Andronic.

Dorina se mordit les lèvres, décidée, et ouvrit les yeux. Il lui sembla que tout avait changé autour d'elle. Les arbres avaient rosi, les herbes chatoyaient, le lac était un miroir d'or.

« C'est maintenant... », chuchota ardemment Andronic.

C'était comme si des milliers d'oiseaux s'étaient mis soudain à gazouiller. Dorina en perdit la parole. D'où venaient tous ces sons enchantés, inouïs, ces hauts cris dans l'air, ces chuchotements doux et incompréhensibles dans l'herbe, dans les buissons? Tout avait commencé ensemble, d'un seul coup, ou bien n'était-ce pas déjà quelque chose de très lointain, jusqu'à présent imperceptible?...

« Regarde! »

Andronic s'était agenouillé, émerveillé, heureux, et demeura ainsi un moment. L'œil de sang du soleil s'ouvrait tout près d'eux, au-dessus de la plaine. Dorina le regardait, confondue, comme si elle voyait pour la première fois un lever de soleil. Subitement, un sens profond, simple, qu'elle avait toujours eu en elle sans y prendre garde, s'illumina. Il lui sembla s'éveiller à une autre vie, et sa joie était telle que ses yeux s'embuèrent, tandis que ses paupières glissaient, lourdes de sommeil.

Quand Andronic détacha son regard du soleil, il la trouva près de lui, endormie, le visage illuminé par un sourire d'enfant. Le jeune homme lui passa la main dans les cheveux et la caressa, essayant de l'éveiller. Dorina entrouvrit à peine un œil.

« Laisse-moi, mon amour! » murmura-t-elle.

Il lui sembla que le visage d'Andronic était totalement changé. C'était un visage d'homme abattu, pensif, triste.

Mais elle n'avait plus la force de s'étonner, et elle se rendormit, heureuse, la main crispée sur son bras.

« Moi aussi, j'ai sommeil, chuchota-t-il en se rapprochant de la jeune fille. Nous ne nous verrons plus jusqu'au coucher du soleil... Et encore, qui sait... »

Il la regarda dormir à côté de lui, nue et vivante, inimaginablement belle dans sa sincérité indicible. Puis, comme s'il voulait éloigner un mauvais sort, Andronic souffla sur le front de la jeune fille, sourit longuement et se coucha à son côté, la joue sur son sein.

Le soleil glissait en douceur, brûlant. Les abeilles avaient entrepris leur ronde et les papillons bariolés du matin volaient dispersés dans l'air. Un coucou se faisait entendre de temps à autre au-dessus des eaux, venu de la forêt.

Quand la barque accosta sur l'île, M. Solomon, Vladimir et Manuilà sautèrent en hâte, et s'embourbèrent dans la vase. Ils avaient tous des visages livides d'insomnie et de souci. Vladimir se mit à crier :

« Dorinaaa!... »

Ils n'eurent toutefois pas longtemps à chercher. Alors qu'ils avançaient, désemparés, sur le rivage, craignant de s'avouer leurs pensées, ils aperçurent soudain les deux jeunes gens, endormis nus, serrés l'un contre l'autre. Vladimir rougit et se mordit la lèvre. Manuilà resta un pas en arrière. Seul M. Solomon eut le courage d'aller de l'avant, tout tremblant.

Quand il s'approcha de Dorina, il remarqua que la jeune fille dormait profondément, les deux bras enlacés autour de la taille robuste d'Andronic.

1937.

ACHEVÉ D'IMPRIMER SUR LES PRESSES
DE COX & WYMAN LTD. (ANGLETERRE)

N° d'edition : 1890
Dépôt légal : janvier 1989
Nouveau tirage : octobre 1990